赤い日本

Sakurai
Yoshiko

櫻井よしこ

産経セレクト

S-023

はじめに――国家ではない日本

「規定がない」

令和三（二〇二一）年三月二三日、日本政府を代表して政権の意図するところを発表する立場の官房長官、加藤勝信氏が質問に答えてこう語った。

「わが国には人権問題のみを直接、あるいは明示的な理由として制裁を実施する規定はありません」

中国の新疆（しんきょう）ウイグル自治区では一〇〇万人を超えるウイグル人が収容され、強制的に中国人化教育を受けさせられている。イスラム教徒のウイグル人を中国人化するということは、まず、イスラム教の信仰をやめさせ、ウイグル人らしく生きることを禁ずるということだ。また若いウイグル人女性を収容所を管理する漢族の中国人が集団で強姦し、指示に従わないウイグル人にはひどい責め苦が待っている。拷問で障害が残ったり死亡したりするケースも続いている。ウイグル人の人口を減らすためにウイグル人男女への不妊手術も横行している。こうした事例は、勇気を振るって実名で告発し始めたウイグル人の証言によっても明らかにされている。また中国政府当局の不妊手術件数などの統計によっても裏付けられており、国際社会に広く知られるところだ。

中国政府による異民族弾圧は今に始まったことではない。チベット、モンゴル、ウイグルに対する弾圧と迫害は香港にも及び、中国はその魔の手を台湾にも伸ばそうと準備中だ。中国の弾圧と迫害の歴史は途切れることがなく、中国は紛れもなく人道に対する罪を犯し続ける世界最悪の国である。その汚れた人権弾圧国に対してわが国政府は非難声明を出さないのかという質問に対する答えが、前述の官房長官発言だった。

米国はトランプ政権の国務長官、マイク・ポンペオ氏が二一年一月一九日、中国共産党政権のウイグル人弾圧を民族大虐殺（ジェノサイド）に認定した。ウイグル人弾圧を、時効のない人道に対する罪として中国の責任を厳しく問うと明確に断じたのである。トランプ政権と同じ政策をバイデン政権も受け継いだ。新国務長官のアントニー・ブリンケン氏はポンペオ発言のあった同じ日、上院の公聴会でウイグル人弾圧について問われ、「ポンペオ氏同様、中国政府によるジェノサイドだと認定すること に同意する」とハッキリ答えたのである。

トランプ氏からバイデン氏への政権移行に先立って、議会（立法府）も上院は全会一致、下院は反対一票のみという圧倒的支持を得て中国を非難し制裁を科す法案を可決済みだ。国務省は二一年三月三〇日、「人権報告書 2020年」で中国政府が新疆ウイグル自治区でウイグル人に「ジェノサイドと人道に対する罪」を犯していると、明確に主張し、公表した。

ヨーロッパにおいても同様の批判が起きている。欧州連合（EU）とイギリスは米国、カナダと共に中国政府当局者に対する制裁措置を発表した。オランダはカナダと共に中国共産党のウイグル人弾圧はジェノサイドだと認定した。

にもかかわらず、わが国は何のメッセージも発信していない。そのことを問われて、わが国政府は「規定がない」としか、言えないのである。

「菅総理の訪米前はやめてくれ」

ここで一〇〇年程歴史を遡（さかのぼ）りたい。第一次世界大戦で戦勝国の仲間入りをした日本は、明治の開国から約五〇年、国際社会の新参者だった。当時の日本は著しく台頭しつつあったとはいえ欧米列強から見ればアジアの小国のひとつだ。アジア全体が欧米諸国の力と支配の前で圧倒されていた時代に、それでも日本はアジアの代表としてパリ講和会議で堂々と主張した。第一次世界大戦後の世界秩序の基本となる国際連盟の規約に人種差別撤廃条項を入れるべきだと。日本は当時、中国・山東半島の権益を確保するために人権問題を相打ちで出した面も確かにある。きれいごとばかりではなかったが、それを差し引いても、実に立派な主張だった。人類史上初めて人種差別撤廃を国際秩序の基本に据えようと提唱したわが国の功績を忘れてはならない。

日本の先達にはわが国が守るべき価値観が明確に見えていたのである。国家というもの、国家の集合体である国際社会というものは常により良い価値に向かって進んでいくべきだという信念を当時の日本は持っていた。日本らしさの真髄をなす価値観を国際社会で謳い上げ実践することが日本人だけでなく全ての人々にとって幸せでよい結果を生むとわが国の先達は確信していたのである。日本の提案は米国の不条理な主張によって葬られたが、大事なことはわが日本国が人類の目指すべき新しい普遍的価値観は人種差別撤廃なのだと世界に向けて問題提起したことだ。

一〇〇年後のわが国はどうなっているか。日本政府は規定がないと言う。だが、ないのは規定ではなく、日本国、日本人としての考え方である。誰が見ても中国共産党の異民族弾圧はおぞましい。人間社会では決して許されない人道に反する犯罪である。にもかかわらず、わが国政府は隣国の蛮行への当然の批判や拒否の意思を、なぜ表明しないのか。

取材を通して見えてくるのは中国を気にして公明党が日本の足を引っ張っている実態である。世界に明らかな中国のウイグル人弾圧、ジェノサイドを日本国として批判すべきだという合意は自民党をはじめ各政党に強い意見として存在する。にもかかわらず、それが国会決議という形で結実せず、政府に対する強い要求として提案されない主たる理由は公明党が立ちはだかっているからだ。

日本ウイグル国会議員連盟会長の自民党古屋圭司氏が語った。

「国会にはウイグル議連、チベット議連があり四月には南モンゴル議連も立ち上げられます。私たちは三つの議連がひとつにまとまって、四月一六日の日米首脳会談前に中国非難の国会決議をしたいと考えていました。けれどどうしても公明党が承知してくれません。結果として菅義偉（よしひで）総理訪米前に国会の意志として中国のウイグル人弾圧を批判することができなくなったのです」

ここで少し説明が必要だろう。各種議員連盟の決議は全会一致を原則とする。オブザーバーの共産党を除く各政党全てが賛成しなければ、国会決議はできない。それが国会における長い伝統なのだ。

「散々意見交換しても、公明党は絶対に国会決議は駄目だと言うのです。連立与党の公明党の意思を無視することは、自民党にはできないのです」と古屋氏。

国会決議実現に力を尽くした別の議員が匿名で語った。

「公明党議員の雰囲気を見ると、彼らも決議したがっていると思います。しかし、中国から駄目だと言われているんでしょうね。とにかく菅総理の訪米前はやめてくれ、とそればかりです。対中非難の決議文は当初の強い文言が段々削られて、何ともインパクトに欠ける平たい表現になり果てています。それでも公明党は駄目だというのです」

中国共産党の代弁者か

山口那津男公明党代表は三月三〇日、記者会見でこう語った。

「わが国が制裁措置を発動するとすれば、人権侵害を根拠を持って認定できるという基礎がなければ、いたずらに外交問題を招きかねない」

氏はさらに中国は日本にとって最大の貿易相手であると指摘したうえで「国際的な緊張の高まりや衝突を回避し、（緊張を）収められるような積極的な対話を日本こそ主導すべきではないか」とも語っている（産経新聞三月三〇日）。

笑止千万。「平和と人権の党」を標榜する公明党が何を言う。日本に住んでいるウイグルの人々の多くが、自分と家族の実体験として中国政府の弾圧を生々しく証言している。世界各国に亡命したり逃れたウイグル人も声をあげている。中国による人権侵害の確たる証拠はこれら被害者の証言がその第一である。ウイグル人女性へのレイプ、異常に多い不妊手術、イスラム教の禁止なども明白な人権弾圧の証拠である。これらの重大事実に、選りに選って「平和と人権」を標榜する公明党が目をつぶるのだ。

中国に対話を持ちかけて、公明党はどうしようというのか。中国は他国、他民族、他人を欺くことを是とする国だ。巧妙な嘘で上手に騙し、目的を達成するのが賢いやり方だというのが中国の価値観だ。これまで公明党も日本も世界も、中国に騙されてきた。世界は米国を先頭にそのことに気付き始めた。日本ではまず国民が気付いた。国民の代表である多くの政治家も政党も気付いた。その中で公明党だけが例外なのか。

公明党は中国共産党の代弁者なのかと問わざるを得ない。「いたずらに外交問題を招きかねない」などと、本気で言っているのか。心配は無用だ。日本の国会決議によってではなく、ウイグル人弾圧、香港弾圧、尖閣の海への侵略などで、中国自身がすでに外交問題を招いている。外交問題は私たちが摩擦を起こして生ぜしめたのではない。全て中国が起こしたのである。

公明党は菅首相の渡米前は国会決議は了承しない、絶対にしない、その代わり、日米首脳会談後なら受け入れると言っているそうだ。中国の入れ知恵、あるいは圧力の結果だと考えて間違いないのではないか。

世界に先駆けて行われる日米首脳会談で日米両国が足並みを揃えて中国批判を展開するようなことを中国は何としてでも阻止したいのである。中国が世界の中で孤立していることを、とりわけ先進諸国によってジェノサイドの国というレッテルを貼られることを、阻止しようとしているのである。だから、菅首相の訪米前の国会決議は「絶対ダメ」なのであろう。

私はこの原稿を菅首相訪米前に書いている。一六日には菅首相がバイデン大統領と首脳会談を行う。私たちはその日米首脳会談以降、議連の動きが急展開し、対中非難の国会決議がなされるのを目撃するだろう。それは公明党が中国共産党の許しを得て、ようやく中国非難の決議に合流するという意味であろうか。本書が上梓される頃にはその構図がはっきりと形になっているだろう。

公明党は中国人の日本国土買収に歯止めをかける法案にも抵抗し、同法案を骨抜きにした。平和と人権擁護を金看板にしながらウイグル問題で中国政府批判を渋りに渋った。何と信用できない政党だろうか。このような政党が連立与党の一翼を担っている。その結果、中国にまともに向き合えないとすれば、そのこと自体、日本の不幸である。

共産主義の乗っ取りのために

それにしても中国に対してわが国は、官邸も外務省も公明党同様、動きが鈍い。なぜだろうか。答えは第二次世界大戦で敗れ、その後今日までの七六年間で、日本国と日本国民が大切なものを失ってきたからではないか。大切なものとは、日本国の国柄である。穏やかながら雄々しく、公平で人道的な価値観である。その起源は日本が中華文明と訣別して一七条の憲法を打ち立てたときに遡る。一七条の憲法の精神は一三〇〇年近い年月を経て明治元年の五箇条の御誓文につながっているのだが、二一世紀の世界にも立派に通用する素晴らしい内容である。

国民を信じ、国民一人一人を大切にし、和を尊び、公正であることを以てわが国の土台となしている。長い歴史を通じて、日本が大国としての力を持っているときもそうでないときも、「日本らしい」と言われるこの価値観を先人たちは大事にしてきた。

だからこそ、先述したように国際連盟規約に人種差別撤廃条項を入れよという提案ができたのだ。自らの目指すところを信じて問題提起する。そのような気概と価値観を日本人は敗戦後の七六年間で失ってしまったのではないか。なぜ大事なことを日本国は置き去りにしてしまったのか。理由は明らかだ。戦後、日本を統治した連合国軍総司令部（GHQ）によってわが国の骨組みが壊されてしまったからだ。

現行憲法を読めば、GHQが目論んだ日本国の形が鮮明に浮き上がってくる。乱暴な言い方になるのを承知で言えば、現行憲法が送っているメッセージは、日本国政府は何もできない「でくの坊」であれということだ。憲法前文は「平和を愛する諸国民の公正と信義に信頼して、われらの安全と生存を保持しようと決意した」と日本と国際社会の関係を規定している。日本国政府はその国際社会を信頼して国民の命も国家の命運も全面的に彼らに預けることになっている。そんなものは虚構にすぎない。だが、現行憲法はその虚構を至高のものとし、国民と国家の運命を全面的に託すと決めたのだ。日本国民の命は日本国政府が守るのではないのだ。

ジョージ・ケナンが来日したのは昭和二三（一九四八）年だった。彼はアメリカの対ソ戦略を打ち立てた人物だ。米国はケナンの戦略を忠実に取り入れ、一発の銃弾も撃たずして旧ソ連を崩壊に導いた。この大戦略家が来日してマッカーサーの占領行政をつぶさに視察して言い残している。

「一見して共産主義の乗っ取りのために日本社会を弱体化するという特別の目的で準備されたとしか思えない」

マッカーサーの下ではジョージ・ケナンの指摘した反日極左の政策が次々に実施されていた。数千年の歴史を持つ神道が排除された。日本社会の基盤を構成する家制度は崩壊の道を辿るよう、憲法及びそこから生まれる民法によって運命づけられた。憲法学者も労働組合も教師も左陣営の人材が優遇された。コミンテルンの日本支部として設立された日本共産党もGHQの後ろ盾を得て跋扈した。二流三流の左翼の人材が社会の各分野で重要な地位を占めた。学問、教育の世界も東京帝国大学憲法講座教授、宮沢俊義氏のように戦前、戦中の日本を否定する学者が主流となった。

徹底的に依存する国

こうした知的風土の中で日本本来の価値観を正当に評価したり主張したりすることがなくなっていった。ジョージ・ケナンの懸念する左傾化現象は年月が経つにつれてより深く日本社会に根づいていった。日本は自国の歴史に対しても、長年日本を支えてきた価値観についても自信を失い、主張すること、提言することもできなくなった。国防さえ国際社会に全面的に任せよと憲法で規定されているのである。日本は政も官も民もひたすら経済発展の道をひた走ることに没頭した。隣国の人権侵害などに注意を払うどころではなくなっているのではないか。価値観を喪失してしまったのではないか。それが、中国に物を言えない日本国政府の現状につながっているのではないか。

官房長官は「規定がない」と言ったが規定どころかジェノサイドは許さないという発想を日本はしなくなった。力の強い中国に立ち向かって譲れないことは譲れないと堂々と言うことなど、考えなくなったのだ。

日本は一体どうなっているのか。国として大丈夫かと思わざるを得ない。ジェノサイドを批判する規定も法律もないのと同じく、およそ全ての分野で日本国には政治の意思を執行するための法律が整備されていない。

武漢ウイルスの蔓延を前に、令和二（二〇二〇）年、安倍政権が緊急事態宣言を発出した。日本以外の国々では緊急事態宣言は国民に行動制限を課し、違反者には罰則を科す。他方日本政府にはそのような権限は一切与えられておらず、政府はひたすら国民にお願いをするだけだ。日本国政府の意思を行政府が実施するのに必要な法的基盤は、多くの場合、ないのである。

国民と国家は支え合ってはじめて双方がよい形で存続できる。だからこそ、どの国でも国民に責任と義務を求め、それに反する場合には罰するのである。しかし、日本にはそれがない。憲法前文が明記したように、日本政府には国民の生存、即ち命を守ることについての責任は負わされていない。如何(いか)なる国にとっても最重要の政府の責任は国民の命と国土を守ることだ。その最重要の国家の責務が憲法前文では、日本国政府に負わされていないことを再び強調したい。責任のないところには当然、権力も与えられない。

事実上、政府に国民の安全と命を守る責務が認められておらず、国民には国のため、公のため、社会のために責任と義務を果たすことが求められていないとは何を意味するのか。日本は国家ではなくなっているということではないか。国民も政府もバラバラなのである。

占領政策で日本の価値観を消し去り、結果平等の社会主義社会に向かって進ませるよう多くの仕掛けが設置された。それを日本人はただのひとつも改正できずに今日に至る。ジョージ・ケナンの言葉が今更ながら蘇(よみがえ)る。自由闊達な精神で自ら責任を負い、大いなる希望を実現するために切磋琢磨する国であったのが、国際社会もしくは同盟国に徹底的に依存する国に成り果てたまま現在に至っている。

再度強調する。だからこそ、中国のウイグル人ジェノサイドにも物が言えないのだ。中国に支配されているかのような勢力は公明党だけではないだろう。自民党の中にも少なからぬ同類勢力がいると考えた方がよい。

言論テレビを主宰して通常のメディアでは発信されない情報を多くの人と共有し、自らも考えていくうちに、わが国が国家としての骨格を欠いていることをより深く実感するに至った。国家としての骨格がないことに加えて、神経細胞もズタズタに切り裂かれていると感ずる。国家のトップである総理大臣が決定を下しても、神経が切断され骨格が崩れているために行政組織が動かないのである。地方に至るまで動かない。

それでも国家の指導者が国家意識を持ち、戦略を考えている場合はまだ救いがある。それがなくなったとき、日本国は気の良い優しい人々の集合体となる。誠実な優しい人々であり、むやみやたらに暴力的になることはないだろう。しかしそのような日本は他国から見ればよいカモである。リーダーもなく戦略も持たない優しい人々の一群は取り扱いが容易である。

中国の日本を見る目はまさにそうではないか。あらゆる面で国際社会が最も脅威を抱き、中国と対峙する構えを作ろうとしているときに、先進国の中で日本だけが虚構の平和の道、異端の道を歩く。なんということか。

果たして日本は日本として生き残っていけるのか、危惧している。だからこそ毎週言論テレビで警告を発し続けてきた。その集積の一部を今回はこのような本にしてみた。多くの人がこの私の思いを共有してくだされればこれ以上の嬉しいことはない。

令和三年四月

櫻井よしこ

赤い日本 ◎目次

装丁　神長文夫+柏田幸子
DTP製作　荒川典久
本文写真提供　言論テレビ
帯写真　産経新聞社

数字や肩書きなどは対談時のものです。本書の元になったインターネット番組、言論テレビの放送日は各章末に記しています。

第1章 メディアの中国汚染

花田紀凱×石橋文登×田北真樹子×櫻井よしこ

花田紀凱（はなだ・かずよし）

一九四二年東京生まれ。六六年文藝春秋入社。八八年『週刊文春』編集長に就任。六年間の在任中、総合週刊誌のトップに。九四年『マルコポーロ』編集長に就任。同誌部数を五倍に伸ばしたが、九五年「ナチガス室はなかった」の記事が問題となり辞任、一年後に退社。以後『uno!』『メンズウォーカー』『編集会議』『WiLL』などの編集長を歴任。二〇一六年四月より『Hanada』編集長。

石橋文登（いしばし・ふみと）

政治ジャーナリスト。一九六六年福岡県生まれ。九〇年京都大学農学部を卒業後、産経新聞社入社。奈良支局、京都総局、大阪社会部を経て二〇〇二年に政治部異動。拉致問題、郵政解散をはじめ小泉政権以降の政局の最前線で取材。政治部次長を経て、編集局次長兼政治部長などを歴任。二〇一九年四月、同社を退社。六月より千葉工業大学審議役。二〇二〇年七月より千葉工業大学特別教授。著書に『安倍「一強」の秘密』、『安倍晋三秘録』（共に飛鳥新社）。

田北真樹子（たきた・まきこ）

一九七〇年大分県生まれ。米国シアトル大学コミュニケーション学部でジャーナリズムを専攻し、九六年産経新聞入社。整理部記者、前橋支局、外信部を経て、二〇〇〇年から政治部。森喜朗首相の総理番を振り出しに、首相官邸、自民党、外務省を担当。〇九年にニューデリー支局長に就任。一三年以降は「歴史戦」取材班のメンバーとして慰安婦問題などを取材。一五年に政治部に戻り首相官邸キャップを経て、現在は産経新聞『正論』編集長。

「政府の皆さん、すみません」

櫻井　二〇二〇（令和二）年七月一日、香港で国家安全維持法が施行されました。中国のメディアが国際社会はこれを賞賛していると報じたのは、想定の範囲内でした。私たちの常識に基づけば、中国メディアの報道は論外です。同時に、中国の国家安全維持法を含めた、日本の中国関連報道には不可解なものが多いと感じます。今回は、政治ジャーナリストの石橋文登さん、雑誌『正論』編集長の田北真樹子さん、そして私のパートナーである月刊『Hanada』編集長の花田紀凱さんと共に日本のメディア論を展開したいと思います。

まず、この共同通信の配信記事を見てください。二〇二〇年六月七日、日曜日の記事です。タイトルは「日本、中国批判声明に参加拒否　香港安全法巡り、欧米は失望も」で、「ワシントン発」です。

〈香港への国家安全法制の導入を巡り、中国を厳しく批判する米国や英国などの共同声明に日本政府も参加を打診されたが、拒否していたことが6日分かった。複数の関係国当局者が明らかにした。中国と関係改善を目指す日本側は欧米諸国に追随しないことで配慮を示したが、米国など関係国の間では日本の対応に失望の声が出ている。

新型コロナの感染拡大などで当面見合わせとなった中国の習近平国家主席の国賓訪

花田紀凱

日実現に向け、中国を過度に刺激するのを回避する狙いがあるとみられる。ただ香港を巡り欧米各国が中国との対立を深める中、日本の決断は欧米諸国との亀裂を生む恐れがある〉（共同通信、二〇二〇年六月七日）

重要なので全文を紹介しましたが、この記事にサッカーの元日本代表である本田圭佑氏が、ツイッターで怒りました。

〈中国批判声明に日本は参加拒否って何してるん！　香港の民主化を犠牲にしてまで拒否する理由を聞くまで納得できひん。〉（本田圭佑氏ツイッター二〇二〇年六月七日）

つまり、彼は日本政府を批判したわけです。そして翌日の八日に菅義偉官房長官（当時）が会見して、本田さんの批判に反論しました。

「わが国は強い立場を直接、ハイレベルで中

櫻井よしこ

国側に直ちに伝達し、国際社会にも明確に発信をしている」「米国や英国など関係国はわが国の対応を評価しており、失望の声が伝えられたという事実は全くない」

これに対して本田圭佑さんは、すぐに謝罪しました。

〈共同通信がフェイクニュースでヤバい方やったか。

政府の皆さん、すみません。〉（本田圭佑氏ツイッター二〇二〇年六月八日）

さて、この共同通信のワシントン発の報道について、田北さんどう考えますか。

田北　この報道は間違いでは。おそらく、途中段階の話を引っかけたのではないかと思います。共同声明の参加を「拒否していた」というのは事実と違うと思います。

田北真樹子

櫻井　青山繁晴さんによれば、五月二二日にイギリス大使館から外務省へ電話があった。六月一〇日の「青山繁晴の道すがらエッセイ／On the Road」で次のように書いています。

〈英国大使館の高官からは「近く米国など5アイズ（米英にカナダ、オーストラリア、ニュージーランドのアングロサクソン系の英語圏5か国）で中国に対して共同声明を出します。中国に対して厳しい姿勢で日本も一緒に臨みましょう」という趣旨の話がありました。

　その共同声明に入ってくれという明確な勧誘はありません。

　中国に共に対峙しようという確認に過ぎません。

　そして共同声明の中身の話も全くありませんでした〉

石橋文登

その後、五月二七日にイギリス大使館の担当官から外務省の担当課に対して声明の文案がメールで送られて来たけれども、明確な勧誘はなかったということです。そして二八日、全国人民代表大会（全人代）の国家安全維持法が採択されると間髪容れず、日本は菅官房長官が「深い憂慮」を表明したということでした。

習近平氏の国賓待遇での来日も、この時点では事実上、もうなくなっていたということです。

つまり、五カ国の共同声明に日本は乗りませんでしたが、それよりも強いメッセージを彼らより早く出していたと青山さんは指摘しているわけです。なぜこんな、間違った情報、共同による嘘の報道が出たのですか。

田北　私が聞いている話も青山さんと同じで、当初、イギリス側から打診があったのですが、その段階では文案がなかったということでした。五月二八日の夕方六時くらいに、全人代が国家安全維持法を取り入れる方針を決めるのですが、日本は二八日午後の官房長官会見ですでに菅さんが「深い憂慮」と発信しました。その後に、秋葉剛男外務事務次官が孔鉉佑駐日大使を呼び出して、抗議をしています。さらに、孔鉉佑大使を呼んだ後に、茂木敏充外相が記者団に対してぶら下がりで「深く憂慮」と意思を表明しています。

日本が重視していたのはメッセージを発するタイミングです。こういうふうに日本は矢継ぎ早に遺憾だと伝えることを重視したので、文案が固まっていないものには乗れなかったというのが真相だと聞いています。

「共同通信」の使い方

石橋　この記事が本当か嘘かはわかりませんが、共同通信は世論誘導に最も使いやすいメディアなのです。

なぜかと言うと、地方紙に記事を配信するのは全て共同通信で、新聞社に対して懇切丁寧に〝バタ〟を流してくる。一面候補はこういう記事があります、二面候補はこういうのを配信します、とダーッと見出しまでわざわざつけて。

櫻井　〝バタ〟というのですか。

石橋　配信予定のコンテを〝バタ〟というのですよ。社説も、社説素材というのを付けて、地方紙が書けないようなことを、わざわざ懇切丁寧に流す。

朝日や読売は共同通信の契約社で、地方紙などの加盟社と違って共同からそういうものは送られません。でも、例えば朝日や読売は関連のテレビ局などから共同が何を配信するかは手に入れる。気になる記事は、自社で裏を取って書いてきます。

つまり、共同通信を使えば、日本のメディアが世論誘導に足並みを揃えてくれる。だから役人がよく使うのですよ。

櫻井　共同にリークすることの意味はそこにあるわけですね。

石橋　しかも共同通信はそれをいろいろな言葉に翻訳して海外にも発信する。だから共同通信を使おうとしたのは、その裏に誰かいるのではないかと思ってしまいます。

櫻井　共同通信の加盟社はNHKを含めて五六社。加盟社の他に契約社があり、一部のニュースだけ取って使うのが朝日新聞や読売など大手一〇社に一三紙。それから民間放送局がなんと一〇八社も入っています（以上、二〇二〇年七月時点）。

そういうわけで、共同の配信したこのニュースも地方紙などにどんどん掲載されますから、石橋さんが仰るように影響力は非常に大きいわけですね。

石橋　霞が関の官僚は共同通信にそうやって情報を流しながら、世論誘導をしようとします。それに乗っていいのかという話があるのですけれども。だからこのような部類の共同配信記事は〝色眼鏡〟で見た方がいいということなのですよ。

花田　共同が配信している地方紙、スポーツ紙などをトータルしたら、八〇〇万部以上の部数があるわけですよね。それから地方紙は、その地方での占有率がすごく高い。河北新報は宮城で七三・三四％、新潟日報は六七％、徳島新聞なんて八六・三％です。占有率が高い地方紙に共同配信の記事は掲載されるので影響力が大きい。地方紙はだいたい政治部や外信部にはそんなに人員を割いていませんから、そこに共同の記事をどんどん使う。共同が左寄りの報道を流しているので本当に危険ですね。

共同通信の「角度」

田北　この記事で私が一番問題視しているのは、「拒否していたことが分かった」という部分。というのは、恐らくこれは握った事実関係が十分でないから、つまり、日本は賛成していないようだということを「拒否」という言葉で少しレベルアップさせたのではないでしょうか。私たちはこれを〝イーハンつける〟というのですが、朝日的に言えば〝角度をつける〟みたいなものですね。
そして私が問題だと思っているのは、記事の二つ目のパラグラフ。
〈新型コロナの感染拡大などで当面見合わせとなった中国の習近平国家主席の国賓訪日実現に向け、中国を過度に刺激するのを回避する狙いがあるとみられる。ただ香港を巡り欧米各国が中国との対立を深める中、日本の決断は欧米諸国との亀裂を生む恐れがある〉（共同通信、二〇二〇年六月七日）
これは全て共同通信の懸念なのですよ。

櫻井　共同通信の懸念を、日本政府の外交当局の判断というふうに書いている。

田北　そうなんです。そしてその前のパラグラフでは、海外で「日本の対応に失望の声が出ている」とも書いている。これらを合わせて、「日本のやっていることはおかしいよ」という空気を国際的に作り出す。
先ほど石橋さんが述べたように共同は海外にも配信します。ですから、この記事は英語でも流れていました。それで海外では、「日本は何だ！」という感じのトーンの反応が、出てくるわけです。

櫻井　この後、訂正記事は出るのでしょうか。

田北　この記事が加盟社に〝バタ〟と呼ばれる出稿予定で流されたのは六月六日、土曜日です。六月七日日曜の朝刊のトップ候補として、「独自」ということで〝バタ〟が流れてきていて、その後、何度も差し替えをしています。共同としては、自信を持っているネタなんでしょう。共同の肩を持つわけではないですが、記者がまるきり無いものを作り上げるのは、私からしてみれば考えづらい。朝日はいっぱいやってきましたけれども。

櫻井　朝日は慰安婦報道、吉田調書報道と、その常習犯です。

田北　この記事を書いた記者は途中段階の話を取ってきて、「拒否していた」というふうに書いたのかもしれない。いずれにせよ共同は、これについては訂正はしていません。

櫻井　ということは、英文で流した記事も訂正されていない。ということは、中国を厳しく批判する共同声明を「日本政府は拒否した」という間違いが、共同のニュースを通じて世界に広まっている。酷い話です。

石橋　既成事実化されていますね。

田北　いつものことです。

櫻井　どうして共同がそういう報道を流すのかということです。

石橋　元々、共同通信は〝リベラル〟が多いのです。それこそ昔は元朝日新聞記者、本多勝一氏の盟友と言われた斎藤茂男という人がいました。もう亡くなったけれども、思いっきり本多勝一氏と同じ。非常にリベラルな人間が多いのですよ。

新華社とビジネス関係

櫻井　共同通信の偏りには定評がある。

石橋　新聞社がどんどん部数を落とし、共同通信も経営が苦しくなって、これから正社員一六〇〇人体制を、一三〇〇人に減らします云々と。元々、共同通信は同盟通信という戦前の国策会社でしたが、これがＧＨＱ（連合国軍最高司令官総司令部）に潰されて、戦後、時事通信と共同通信に生まれ変わるのです。共同通信はその時に社団法人として、加盟社から分担金を取って運営する形になった。その後、こっそり一般社団法人共同通信社の下に、株式会社共同通信社を作って、いろいろお金儲けをしているのです。やはり各国の通信社と特約を組んでいるのは共同ですから、お金儲けをするルートがＡＰ通信にしてもロイターにしても、新華社にしても、ある。

櫻井　重要なことは、そこに新華社も入っているということです。

石橋　ええ。タス通信にしてもルートがあった。調べたら、怪しげな商売をいっぱいやっているのですよ。例えば、株式会社共同通信社は「ジャパンビジネス広報センター」というのを作って、これで企業や団体のプレスリリースを国内外に配信し、顧客の広報業務を支援する商売をしています。共同通信とオーストラリアのＡＡＰ通信が共同議長を務め、新華社、韓国の聯合ニュースなど七社が政策決定機関の理事会を構成している。こんなことばかりしていたら、特に新華社というのは……。

櫻井　ちょっと待ってください。いまの話、大変なことですよ。共同通信傘下のお金儲けをする株式会社が各国の通信社と提携していて、しかもその中に韓国の聯合ニュース、それから中国の新華社、これらの通信社が入っている。

石橋　一緒に政策決定機関の理事会をしています。ＡＰ通信やロイターみたいに民間系ならいいけれども、新華社やタスは記者というより、工作員に近い連中ではないですか。タスはもう今はないけれども、元々は共同はタスとも特約していましたからね。新華社のような明らかに中国の国策を反映するための組織まで入れて、変なビジネス広報みたいなことを共同通信は行っています。

いったい何をやっているのかと思ってしまいますが、こういうことをたくさんやって、段々、がんじがらめになっていったのではないですか。

櫻井　共同通信の下の株式会社でお金儲けをして、経済的に共同通信の運営をサポートしているというふうに考えていいですか。

石橋　そう考えていいと思います。結局、加盟社の配信だけではやっていけないので、お金儲けをするための株式会社共同通信社という同じ名前のものを作っている。でも、その株式を全部持っているのは一般社団法人共同通信社だから、そこがいったい何をやっているか、さっぱりわからない。

櫻井　なるほど。これは深刻な問題です。先ほど述べたように、全国の新聞や放送局など幾百ものメディアが共同の配信サービスを取っているわけです。情報を買う側にしてみればとても便利です。例えば共同通信のスポーツニュースは、規模において最大の読売さえも取っている。読売までもが共同の配信に頼らざるを得ない状況にあるということです。

石橋　共同通信は、何が強いって、スポーツなんですよ。プロもアマも、過去の試合の結果を含めてあらゆるデータを蓄積しているのは共同通信だけ。

朝日と読売と毎日は、まだ勢いがあった一九五〇年代だったかに、「共同通信は要らない」といって一回抜けているのですよ。それで共同通信は経営が傾いたのです。自分たちがものすごく儲かっていたから、共同通信を潰してやれみたいな感じで三社が組んで出たのだけれども、結局、契約社として戻らなければならなかったのは、共同のスポーツデータが圧倒的に強かったから。

スポーツデータというのは、オリンピックにしても実は裏側は利権の塊だから、そういうところで外国に少しずつ、少しずつ、絡め取られていったのではないですかね。

事実と正反対の記事

櫻井 今の共同通信の構造を聞くと、彼らがどうして左向きになるかというのがなんとなく分かるような気がしますね。新華社などが事実上、内容に嘴(くちばし)を挟んでくるわけで、彼らと一緒に共同は利潤目当ての事業を展開しているのですから、自ずと親中的になってしまう。

そのようなメディアでありながら、先ほどから述べているように共同通信は大きな影響力がある。地方紙にも記事や社説を配信する。地方の新聞はそんなにたくさんの記者を中央政府に派遣したりできません。海外も同様です。だから結局、共同に頼ってしまう。地方に行って現地の新聞を読むと、共同通信が配信した記事はものすごく多いことに気がつきます。影響力が大きい共同通信が、いま取り上げたような間違い記事を配信してしまうと、取り返しのつかないところまで間違ったニュースが浸透してしまう。

田北 こういう共同のとんでもネタが出てくるのは、だいたい週末なんですよ。

櫻井　なぜ週末？

田北　恐らく、どこの道府県でも、常に地方で出てくる週末ネタで一面を作るのは難しい。ですから、恐らく共同の記者は、週末用に特ダネを持ってくるようにと尻を叩かれていると思うんですよ。私たち産経新聞でも、やはり週末用に独自ネタを取ってくるようにしていました。この記事も、確かに週末原稿でした。

もう一つ、共同の記事でおかしさが顕著だったのは、賭けマージャンで辞職した黒川弘務前東京高検検事長に関する記事です。配信されたのは五月二四日の日曜日で、掲載されたのが翌二五日の月曜日朝刊。どんな内容だったかというと、黒川さんの処分に関しては、官邸が実質的に決定したというもので、それも法務省は懲戒を求めたが、実は官邸が訓告に落としたという主旨です。

櫻井　それ、実態は正反対でしたね。

田北　正反対です。

櫻井　共同のその記事は、〈黒川氏「懲戒」の判断、官邸が「訓告」に〉というタイトルで、次のような内容です。

〈辞職した黒川弘務前東京高検検事長（63）の処分を巡り、事実関係を調査した法務省は、国家公務員法に基づく懲戒が相当と判断していたが、首相官邸が懲戒にはしないと結論付け、法務省内規による訓告となったことが24日、分かった。法務・検察関係者が共同通信の取材に証言した〉（共同通信、二〇二〇年五月二五日）

石橋　本当にフェイクですよね。だから、外信よりも政治部の報道の方が、共同は酷いと思います。

田北　これは社会部の記事だったと思います。というのも、複数の法務、検察関係者が証言したと書いていますが、法務省と検察は社会部がテリトリーなのです。政治部はあまり取材しないんです。

この報道を実際、月曜日の朝刊でトップに持ってきた新聞社は何社もあります。そして野党はこれをベースに国会で、官邸の処分が甘かったと批判するわけです。『正論』の八月号で産経新聞政治部次長の水内茂幸氏が、徹底した取材をして「黒川前検事長処分の真相」という記事を書いていますが、この共同の原稿とは全く逆です。官邸はむしろ、処分を引き上げたのです。法務省が甘い処分を出してきたのですよ。

櫻井　あの時、私も取材をしましたが、政治家は森まさこ法務大臣を含めみんな、やはりこれは懲戒だとすごく厳しく構えていた。すると、法務省側が厳しい処分など、とんでもない、という姿勢で強く反対した。共同通信の報道とは正反対です。政治家の方がきちんと重い処分を主張していました。

石橋　結局、黒川さんは訓告処分になった。これは懲戒処分ではないけれども、元々法務省が官邸に打診してきたのは、厳重注意処分でもっと甘い。それを押し戻しているうちに、訓告まで処分を上げてきたということです。

櫻井　まさに意図的なフェイクニュースだと考えざるを得ない。真っ当な形で取材をすれば、そのような事実はないわけですから。

石橋　〝嘘つき検察〟が流した可能性はありますよ。検察が官邸に罪を押しつけるために情報を流したのではないのかと。検察という組織を私はそもそも信頼していないですから、共同が悪いのか、検察が悪いのかといったら、検察ではないかなと。

櫻井　検察が悪かったとしても、共同通信は社会部で取材をしたら、それをまた別の角度から検証するために政治部が官邸に取材を入れないといけない。だからこれは共同通信が責められても仕方がないと思います。嘘の情報リークに騙されたというのであれば、そんな言い訳、通用する余地はないですよ。

田北　これは「親中」というよりも「反安倍」のための報道だと思います。

毎日新聞の中国傾斜

櫻井　花田さん、今日は毎日新聞のことをぜひ言いたいと仰っていましたね。

花田　朝日は言い飽きたので。でも毎日は侮れない。本当に酷い記事が多いのです。例えば、日中友好協会会長の丹羽宇一郎氏が二〇二〇年四月一五日に「日中関係の今後」（毎日新聞「論点」）ということで、こう書いている。

〈我々が絶対に忘れてはいけないのは、中国は14億人が暮らす巨大な市場であり、日本にはそこで稼ぐ以外に生きる道はないということだ。人口が減り続ける日本は、内需だけで食べていくことはできない。これは思想の問題ではない。たとえ、中国が嫌いでも構わない。稼ぐために仲良くする。そのぐらいの度量がなければ、この日本に未来はない〉

こういうようなことを、延々と書いているわけ。こういう記事が多いんですよ。最近、毎日はおかしい。

田北　毎日は前からおかしいですよ、花田さん（笑）。

花田　「親中」のきっかけは「CHINA WATCH」ではないかと思います。一昨年くらいから、八ページの「CHINA WATCH」という新聞に、毎日新聞を包み込んで配達してくる。『CHINA WATCH』は取っていないのにな」と開いてみると、中に毎日新聞が入っているわけ。

櫻井　毎日新聞が「CHINA WATCH」に巻かれる形で配達されてくるということで

すね。

花田　そういう形で配達される。「CHINA WATCH」は中国の国営英字新聞社であるチャイナ・デイリー発行の新聞です。中を見ると、もちろん中国礼讃しか書いていない。

櫻井　月に一回ですか。

花田　最近ないなと思って取材してみたら、今年（二〇二〇年）はこれから毎月、来年は年間五回出るそうです（編集注／二一年四月現在は実行を確認できない）。「CHINA WATCH」八ページでいくらもらっているのか。毎日の広告料は正規では一ページ約二五〇〇万。八ページなら二億円ですよ。年間五回なら一〇億円。経営危機で資本金を一億円に下げたりしている毎日にとっては非常に大きな収入です。それで中国に批判的なことを書けるのですかと言いたい。

もう一つは、これもまた酷い。日本僑報社（にほんきょうほうしゃ）という出版社がある。これは、中国礼讃本ばかりを出している出版社です。

櫻井　銅鑼湾書店（編集注／中国に批判的な本を扱う香港の書店で、店長や株主など五名が中国に拘束された）などとは対極にある出版社ですね。

花田　それで調べたら、日本僑報社は一九九六年創業で、社長は段景子という人物です。この会社の英語名は「The Duan Press」といって、つまり「段」は「デュアン」。中国人なんですよ。夫の段躍中という人物が日本僑報社編集長なのですが、この人は元々は中国のジャーナリストで活動家。プロフィールには、日本経済大学特任教授、湖南大学客員教授・湖南省国際友好交流特別代表と書いてある。

経歴としては、北京大学客員研究員、中国・湖南大学客員教授、中国・信陽師範学院客員教授、中国・青島市帰国華僑聯合会海外顧問、日本・千葉商科大学非常勤講師（元横浜国立大学、東洋大学、明治学院大学非常勤講師）、財団法人日本中国国際教育交流協会評議委員などとズラズラ書いてある。元総務省審議委員とも書いてあります。

毎日新聞はそういう出版社の全五段広告（編集注／新聞の下部五段すべてを使った大きな広告）を毎月、出している。この出版社の広告は他紙、朝日などにも、サンヤツ（編集注／三段八割という広告スペース。朝刊一面下にある文字のみの出版広告）などでたまに出ています。しかし、毎日新聞だけは毎月全五段ですよ。

これで、毎日新聞は中国に批判的なことを書けるのか。

中国の浸透工作とチャイナマネー

櫻井　つまり、毎日新聞には相当な中国マネーが入っていると考えられる状況がある。

花田　日本でもベストセラーになったクライブ・ハミルトンの『目に見えぬ侵略』（飛鳥新社）という本があります。

オーストラリアの政界、財界、マスコミ、大学などが、中国マネーにからめとられていく過程と現状を実例を挙げて刻明に書いている。この中にこんな一節があるんです。

〈中国共産党から提供される資金と引き換えに〉

〈シドニー・モーニング・ヘラルド紙、ジ・エイジ紙、そしてオーストラリアン・フィナンシャル・レビュー紙は、チャイナ・デイリーが提供する毎月発行の八頁にわたる折り込み記事を掲載することに同意している。〉

チャイナ・デイリーが発行する八頁の折り込み記事、毎日新聞のケースと全く同じじゃないですか。

櫻井　中国の用意周到な、全分野における浸透工作は、やはり〝敵ながらあっぱれ〟です。私は中国の侵略について「水」のような印象を抱いています。ちょっとでも低いところがあると、私たちが気がつかなくても、水はスーッと入っていくでしょう。少し隙間があっても、知らないうちにスーッと入っていって、水浸しになってしまう。ある所が弱くなったらそこからドーッと滝のように入ってくる。この「水」のような中国の浸透ぶり。それは凄まじい限りです。

『目に見えぬ侵略』は非常に面白かったし、すべての日本人が必読の書だと思います。どれだけ巧妙に彼らが入ってくるか、具体例で描写されていますから、本当によくわかる。

花田　クライブ・ハミルトン氏がそのことに気がついたのは、北京オリンピックの時の聖火リレーがメルボルンに行った時です。その時にチベットの人たちやウイグルの人たちがデモをすると、全国から動員された中国人留学生、三、四万人が滅茶苦茶にやっつけたんですよ。

田北　日本でも長野オリンピックでありましたね。

花田　あれと同じことがオーストラリアで行われて、それをきっかけにして、ハミルトン氏が取材をして本を出したのです。

田北　出版するに当たって、相当、いろいろなところから妨害があったんですよね。

花田　初めに本を出すと言っていた出版社が、途中で断ってきたのです。仕方がないから、大学の出版部だったら自由だろうと大学の出版部に頼んだ。大学は大喜びで引き受けたのですが、最終的に理事会で反対されたからと断ってきた。四社目でやっと出版できたそうです。

櫻井　中国の圧力ですよ。オーストラリアの大学は中国マネーでひどく汚染されている。本の中にオーストラリアの大学と中国の大学との共同研究プロジェクトの数が出ていましたが、二〇一六年の統計で一一〇〇件くらいありました。シドニー大学はオーストラリアの名門大学の一つですが、そこが全体の約一割を占めています。

オーストラリアの人口は二五〇〇万人強の規模で、大学も日本と比べたらはるかに少ない。にもかかわらず、一一〇〇件の共同研究プロジェクトがあり、その一割を名門大学が引き受けている。どれだけのお金が入っているかということです。中国はお金の力をものすごく使う。

花田　オーストラリアは移民国家だから、中国人で帰化している人も多いのです。けれども彼らのルーツは必ず中国にあって、いざという時は中国の方を向いてしまう。

田北　それに、オーストラリアは毎年、政権交代していたでしょう。だから中国マネーが政界に入りやすかったのでしょうね。

花田　大臣経験者、首相経験者がたくさんいますが、そういう人たちを、アゴアシ付きで中国に招くのです。そして中国の要人と会わせて歓待する。あるいは研究所などを作らせて、そこの理事長などにする。そうするともう彼らは中国の言いなりです。だから政治家も完全に取り込まれている。

石橋　でもあまりに中国のやり方が露骨すぎます。新型コロナ発生源の国際的な調査を要求したオーストラリアのモリソン首相に対して、中国紙「環球時報」の編集長は「靴底にこびりついたチューインガムのようなもので、時には石を探してこすり取らざるを得ない」と論評したりしている。それによってオーストラリアにやはり反中感情も芽生えてきている。前の首相も非常に親中と言われていたけれども、途中から目覚めて変わったではないですか。

先ほどの花田さんの話でも、確かに金をばら撒いて言いなりにさせようという、札束で頬を叩くような中国のやり方に、経営が苦しい毎日新聞は飛びついたのでしょう。でも、毎日新聞に大枚をはたいても、はっきり言って社会的影響力はないですよ。私は新聞記者を辞めてから、他の新聞は読みますが、毎日は一切読んでいない。けれども何の支障もない。中国は砂地に水を撒いているのと一緒ですよ。何の影響力もない。

だって、毎日新聞を見ることありますか?

櫻井　実は私も毎日新聞は取っていないですよ。内外の新聞一〇紙を購読しているけれど、毎日は止めました。役に立たなくなったといったらおかしいですけれども。

石橋　だからチャイナマネーは、本当に砂地に水を撒くようなものです。

毎日新聞の「角度」

櫻井　その毎日新聞が、ＢＳフジの番組『プライムニュース』に茂木敏充外務大臣が出た時のことを報道したのが今年（二〇二〇年）の六月三日。〈習近平氏来日「11月のＧ20サミット後に」　ＢＳ番組で茂木外相〉として次のように報じました。

〈茂木敏充外相は３日夜にＢＳフジの番組で、新型コロナウイルス感染拡大の影響で延期となっている中国の習近平国家主席の国賓来日について、11月にサウジアラビアで予定される主要20カ国・地域（Ｇ20）首脳会議の後になるとの見通しを示した〉（毎日新聞、二〇二〇年六月三日、五日朝刊紙面にも〈茂木氏「習氏来日、Ｇ20後」〉と掲載）

ＢＳフジで実際に茂木外務大臣が述べたのは、次の三点ですね。まず、「少なくとも、今、具体的な日程を調整する段階にない」。次に「外交日程的に申し上げると、どう考えてもＧ７のサミットの方が先に来る」。もう一つは「これが（Ｇ20）日程的にも先になるのだと思います。その上での話」と述べたわけです。

毎日以外の新聞がどう伝えたか。産経新聞がすごく偉いのですよ（笑）。この頃時々、産経の記事は変だと思うこともあるので、特に強調しておきます。

各紙の見出しは次の通りです。

〈茂木氏「日程調整する段階にない」　習氏国賓来日〉（産経新聞、六月三日）

日経新聞、それから共同通信はちょっと似ていて次のように報じました。
〈習氏来日は秋以降に　茂木外相「G7、G20が先」〉（日経、同日）
〈習氏国賓来日は11月以降　外相「G7、G20が先」〉（共同、同日）
毎日だけは先ほども述べたように「11月のG20サミット後に」と。他紙の報道の「秋以降に」「11月以降」は、翌年の春かもしれないし、あるいは夏、そのまた翌年かもしれないわけでしょう。ゆとりがありますよね。でも毎日の「G20サミット後に」という書きぶりだと、サミット後に続いてくるのかなという感じです。これ、どう読み解きますか。

田北　BSフジの番組を見直して、茂木さんの発言を書き出してみたのですよ。これは宮家邦彦さん（元外交官）と共に茂木さんが出ていた番組です。

まず、茂木大臣が「具体的な日程を調整する段階にないのは確かだと思います」と述べてそこで終わっているのです。その後、宮家さんがいろいろ話した後に、茂木さんが「外交日程的に申し上げると」と、そちらの話に入るのですね。その宮家さんと茂木大臣の話の間に、司会の反町理さんの質問も恐らくなかったような気がします。あってもせいぜい、茂木さん、どうですか、くらいですよ。それで茂木大臣が「外交日程的に～」を話し始めたということです。

ですから「外交日程的に申し上げると」というのは単なるスケジュールに言及するうえで、〝物事をいろいろ進めるにしても〟という話であって、いきなり習近平来日の日程を優先して語っているとは思えない内容でした。

ですからこの記事が書かれた背景としては、習近平国家主席を呼びたいという願望が毎日新聞にあるのか。あるいは、習近平主席を呼ぶことには安倍晋三総理の支持者からも強い反発が出ているので、総理の支持者の「反安倍」感情を掻き立てたいのかなとも、深読みすることもできると思いました。

石橋　だから、毎日は読まなくてもいいんです（笑）。私は政治部長時代からほとんど毎日新聞は読んでいなかった。それでも何の不利益もない。読めば変に間違ってしまうだけ。朝日は、敵の出方を見る意味で読まないといけないけれども。

田北　私も読んでいませんけれども（笑）。

花田　ぼくはあらさがしのために読んでるんです。朝日も同じ。

石橋　共同が〝角度をつける〟とものすごく影響力があるから、やはり要注意だけれども、毎日新聞は影響力がないから別にいいいんですよ。

外国勢力の〝仕掛け〟は朝日でわかる

櫻井　朝日、ＮＨＫに移りましょうか。朝日に関しては花田さんはもう言い疲れたと先ほど仰ったけれども。

石橋　朝日新聞は、外国勢力が何を仕掛けようとしているかを知る指標だと思って読むといい。「これで仕掛けてくるのではないか」と。

櫻井　その構図は実は、戦前からのものですね。

石橋　戦前からもうけしからん。ただ、朝日新聞は戦前に戦争を煽って、その深い反省の下に反戦の路線を築いたのだというようなことを言っているけれども、あれは嘘でね。だって、ゾルゲ事件で死刑になった尾崎秀実（ほつみ）。

櫻井　彼は元朝日新聞の記者で近衛文麿内閣のブレーンですね。

石橋　当時のソ連はとにかく日本とドイツの挟み撃ちだけは絶対に避けたかった。それを近衛と非常に親しかった尾崎が工作した。「国民政府を相手とせず」と近衛に言わせて、国民党との泥沼の戦争を持ちかけたのは元朝日新聞の尾崎ではないですか。その尾崎秀実を朝日は庇い続けてきた。

戦後になると、私はある意味すごい人だと思うけれども、三浦甲子二（きねじ）という政治部の記者がいた。ソ連の対日工作の元締めでイワン・コワレンコという人物、これと三浦甲子二は親友だったのです。だから田中角栄にしても中川一郎にしても、ソ連と交渉パイプをつなごうとしたら、全部、三浦甲子二が動いたという。彼は完全なソ連の工作員みたいな人と見られています。

彼は結局、親中派の広岡知男という、その後社長になる人に敗れて、テレビ朝日の取締役として朝日新聞を追い出された。親ソ派と親中派がずっと争って、親ソ派が負けて親中派が乗っ取ったというのが朝日新聞だけれども、いずれにしても外国の意向を受けて動いている。だからそういう意味では、日本にとって非常に脅威であるところの、かつてはソ連、その後は中国、彼らが何をしようとしているのかを読み解く上では、やはり必読紙なのですよ。

花田　三浦甲子二さんは政治部の記者で、テレビ朝日の最後は専務だった。『文藝春秋』でかつて、読売のナベツネさん（渡邉恒雄氏、読売グループ代表取締役主筆）とNHKのシマゲジさん（島桂次氏、元NHK会長）と、テレ朝の三浦甲子二さんで、三人の大物政治記者に昔の話をしてもらおうと座談会をやったことがあります。

櫻井　文藝春秋で？

花田　でも話がはずんだのはいいけれど、あまりに品が悪いのでボツになりました。

石橋　でもソ連のエージェントだとして見たら、ものすごい人ですよ。日本の政界を動かしてきている。元々、河野一郎番から始まって、彼が対ソ交渉をやっていたから。そこからパイプを築き上げて、彼を通さないとソ連と交渉できなかったのですよ。

櫻井　その朝日新聞の重鎮から後にテレビ界に移った人が、ソビエトとのパイプ役を果たしていた。その頃の朝日はソビエトに傾いていたわけです。

石橋　ちょうど岸信介内閣の時に、日米安保の改定で、朝日が猛反対の論陣を張ったけれども、あれの後ろにいたのは間違いなくソ連ですよ。その後、中国に変わっていって、やはりものすごく象徴的なのは、本多勝一氏の「中国の旅」。これは本当に中国のプロパガンダ通り。一九七一年に集中連載していたけれども。

櫻井　一九七二年のいわゆる日中国交正常化のためですか。

石橋　田中角栄の日中国交正常化の前に、その前段として中国政府の意向通り、あの〝嘘連載〟をやったというのはけしからん話です。日本軍が、いかに中国で酷いことをしたかと書いていますが、それはほとんど嘘だと言われているでしょう。

花田　すべて中国側が集めた証人の発言を何の検証もしないまま書いているだけ。

田北　本人は連載を書籍化した際の「まえがき」で開き直っていますね。

花田　けしからんのは、朝日新聞がいまだに、その本を絶版にもせずに文庫にして出し続けていることです。

NHKの〝中国利権〟

石橋　ではNHKはどうか、と。

櫻井　NHKこそ、根深い親中派メディアです。

石橋　NHKが親中路線になったのは、間違いなく一九七八年の日中平和友好条約。

櫻井　そして鄧小平が日本に来た。

石橋　そう。友好条約を結んで、鄧小平が一〇月に来日し、日本の対中感情が一気に好転する時期に、NHKはその翌年から何をやったか。NHK特集で放送する『シルクロード』の取材。いまのウイグルですよ。確かに誰も踏み込めなかった場所ですが、敦煌から始まってウイグルまでを撮影した。そこからNHKの〝中国利権〟が始まるのですよ。そしてどんどん親中に偏っていくと。

櫻井　それが中国のやり方です。中国にとって都合のよい報道をしてくれるメディアには便宜を図って、他のメディアが行けないところにも特別に行かせたりする。それにNHKが乗った。

石橋　そうです。あの頃は一種、中国ブームで、例えば日本テレビも開局二五周年で、堺正章氏主演のテレビドラマ『西遊記』を中国ロケで撮ったりしました。

でもその後の傾中ぶりを見ると、ＮＨＫは異常ですよね。だってＣＣＴＶ（中国国営中央テレビ）は国営放送ではないですか。その中国の国営放送がつい最近までＮＨＫの中にあったのです。それが叩かれて、いまは一応、形だけＣＣＴＶが外に出ているけれども、実態は同じです。それこそ初期の段階では、中国の辺境に撮影に行ったら、ＮＨＫの放送機材は全部中国に寄付したりしたというのは有名な話ですよね。

櫻井　ＮＨＫの機材をその地方に寄付していた？　でもそれは、私たちが支払っている受信料で買っているものでしょう。

石橋　そう。ＮＨＫが「傾中」し出したのは、シルクロードからですから、もうすでに四〇年になりますか。

櫻井　そうですね。ＮＨＫの側にすると取材の機会をもらい、情報をもらう。向こう側にすると、中国になびく論調の番組を作ってもらって、しかもおまけに、中国では当時、絶対に手に入らないような最新の機材までもらう。この腐った関係で生まれた番組や情報で、私たちの感じ方や考え方が影響を受け、世論が動かされ、侵害される。これはある意味、国を売り渡しているということです。

ＮＨＫという権力

石橋　ＮＨＫは日本最大の特殊法人で、国会が予算を決めている「公共放送」なのだから、これは与野党のサボタージュ。『シルクロード』だって元々、ＣＣＴＶとの共同制作で作っているのですからね。与党も野党も国会議員は何をしていたのだと。何もしていないことが問題だと思う。

　結局、与野党ともにＮＨＫを敵に回したくないんですよ。仲良くしている方が選挙でも有利だと思っているんでしょうね。全国津々浦々に地方放送局を持っていますから。政治部記者は貴重な情報源でもある。そんなことだから、いつまで経ってもＮＨＫにメスが入らない。本当にけしからん話だと思います。

櫻井　与野党の国会議員は、このＮＨＫの左傾化問題、極端で不公正な「反安倍」報道について何をしているのか、手を拱いているだけなのかと、厳しく問わなければなりません。ＮＨＫ問題には、どの政党のどの政治家も、触りたくないという姿勢がありありです。

石橋　そう。でも安倍晋三首相（当時）でさえ、ＮＨＫに本格的なメスは入れることはできなかった。富士フイルムホールディングスの古森重隆会長（現最高顧問）をＮＨＫ経営委員会委員長に選任するなどトップ人事による改革を目指したけど、ＮＨＫプロパーと左翼メディアが結託してバッシングを続け、これといった成果は出せなかった。ＮＨＫは強大な権力機関なんですよ。

櫻井　政治家はＮＨＫが怖いのです。ＮＨＫ問題に触れることで、ターゲットを絞られて自分に関する負の情報が報道されたらどうなるか。たとえ後で誤報だとわかっても、その人の政治家としての信頼度は傷つくし、それが例えば選挙の前だったら、大変なことになる。やはり、〝暗い影響力〟というものをＮＨＫは持っていますね。表の顔は、すごくいい旅番組を放送したり、いいドキュメンタリーを作っていますが、ＮＨＫの政治的な番組にはすごく暗い影を感じます。

慰安婦問題でも、「女性国際戦犯法廷」などという極めてアンフェアな「劇」を放送するなど、こんなものを国民の受信料で作っていいのかという許し難いことをしています。そして開き直る。しかし国会に行くと、彼らなりの説明をして、そこで政治的な追及はそれ程はなされない。

それを追及したのが安倍晋三さんであり、中川昭一さんです。後で挽回したけれども、彼らはそれによってひどい目にあうわけです。私はＮＨＫの表の顔と裏の顔の間にはものすごい差があると思います。

石橋　受信料裁判でＮＨＫと争った女性に技術協力をした筑波大学准教授の掛谷英紀氏がインタビューで、なぜＮＨＫが映らない装置「イラネッチケー」を作ったかを述べていました。二〇一三年に国会で、慰安婦問題について、辻元清美議員（当時民主党）と中山成彬議員（当時日本維新の会）の二人が正反対のことを言ったのです。そのＮＨＫの国会中継を誰かがネットにアップした映像に対して、ＮＨＫはなぜか中山成彬議員のものだけを削除要請したという。これが契機で「イラネッチケー」を研究室で開発したらしいのです。

ＮＨＫは、中山成彬さんの〝慰安婦に強制はなかった〟という主張のみを削除するよう要請したらしい。だからかなりひどいですよね。

櫻井　ＮＨＫは「国民の皆様のメディア」という立場を強調し、だから受信料を払ってくださいという理屈に持っていきます。けれどＮＨＫほど幅広く日本を貶める情報を流しているメディアはないのです。ニュース番組にとどまらず、ドキュメンタリー、ドラマまで、そこかしこに日本貶めの要素が入れ込まれている。映像の検証には時間がかかるために、なかなか本格的に取り組むことができていませんが、日本を守るためにぜひＮＨＫの検証をしていかなければなりませんね。

習近平国賓来日と経済界

櫻井　中国に話を戻します。冒頭の共同記事にもあった習近平国家主席の国賓来日についてはどうですか。

田北　政権がどこかで習近平主席に「申し訳ないけれども、もう来ていただかなくてけっこう」と言えれば一番いいんですよ。ただ、日本側が呼んだ手前、「あんた来なくてもいいよ」と言えないので自然に沙汰止みになることを願っている。

石橋　安倍政権の間にもう習近平が来ることはないよ。

櫻井　ないですね。取材をしてみると、形の上では日本が習近平主席を呼んだことになっているけれども実状は違う。谷内(やち)正太郎さん（元外務事務次官、初代国家安全保障局長）がはっきりとBSフジの『プライムニュース』で述べていましたが、長年、中国側から、招いて欲しい、しかも国賓待遇で招いて欲しいという要望があったと。ご当人が言っています。

田北　それはそうですよ。九八年に江沢民来日で日中共同宣言、二〇〇八年には胡錦濤来日で日中共同声明で「戦略的互恵関係」の推進を確認、そして二〇一八年ということで、中国は目指していましたからね。

櫻井　形の上ではこちら側が中国の国家主席をご招待しているけれども、実は中国側からの要請ですから、上手に表現する必要はありますが、断ってもいいという見方はやはりある。

田北　いま、安倍政権（当時）の対中姿勢が弱いという見方がどうしても払拭できない。これはやはりダメージだと思います。ドナルド・トランプ大統領が対中強硬路線になったのは、安倍総理が振り付けたからですよ。二〇一六年一一月の大統領選の後に安倍総理がトランプタワーに行って、トランプ氏と二時間くらい会いましたが、あの時に八割方は中国の話だったわけです。我々は当時、北朝鮮の話ばかりだと思って、騙されていたのですけれども、中国の話だったのです。ですから安倍総理個人としては中国に対する見方は変わっていないのではないかと思います。

櫻井　安倍総理自身の見方は、変わっていないです。

田北　問題は経済界です。要するにアメリカの対中政策がこんなに変わったのも、アメリカ企業が技術をはじめいろいろなものを盗まれて実害を被るようになり、もう勘弁してくれと思い始めて、軌道修正、方針転換をし始めたということがあります。日本の企業は恐らく、この期に及んでも、まだそこには至っていないのです。

ですから経済界にその認識がなければ難しい。日本は残念ながら、政府が企業の活動に、あれこれ言えないのです。他の国はできたりするところもあるのでしょうが、日本はそれができないから、企業が本当に「困った」というところにまで行かないと。

公明党と一緒に沈む

櫻井　政界はどうですか。

石橋　立憲民主党を辞めた山尾志桜里さん（国民民主党）が極めてまともになっていますね。山尾さんは先日、ツイッターで、野党がなぜ改憲論議をしないのかというと、議論をしたら共産党から対立候補を立てられてしまうからだと。共産党がそれを理由に立てるのもいただけないけれども、それが怖くて議論しない議員はいただけないと批判して、憑き物が取れたように、極めてまともになっている。

花田　言っていることはね。けれど、例の不倫事件で、病気療養中だった不倫相手の弁護士の奥さんや子供に対する仕打ちが許せないので、ぼくは彼女を認めませんね。

石橋　でもそういうことなのですよ。衆院選の際に、国民民主党の中で改憲議論をしましょうよと言って、共産党に対抗馬を立てられたらどうか。共産党は一つの小選挙区で一万から二万はあるのですよ。

櫻井　創価学会と同じくらいですか？

石橋　創価学会はもっとあります。でも共産党も、もうお年寄りばかりになったけれども、少ない所で五千から一万、多い所だと二万くらい組織票を持っていて、共産党に独自候補を立てられたら、他の野党の候補は自民党公認候補には絶対に勝てない。この恐怖心から動けないのが、玉木雄一郎さん（国民民主党代表）を筆頭に国民民主の大半。

逆に参院の方は、旧同盟系の電力総連や自動車総連などは改憲論議をすべきだと言っているのだから、彼らの方が割とはっきりしているのです。

言い方が悪いけれども、いまは自民党もヘタレで、中国にも何も言わない。立憲民主でさえ中国の全人代常務委員会が香港国家安全維持法を可決したことに、遺憾の意を表明したのに、自民党からは何の見解も出なかったんですよ。

櫻井　自民党は今日（二〇二〇年七月三日）、香港国家安全維持法を中国が施行したことを受けて、習近平国賓来日の中止を政府に求める決議案をまとめて、六日に党内での了承手続きを行った上でそれを官邸に持って行くことになりました。でも、自民党議員はなぜこれを官邸に持って行くのと、私は思うわけ。

田北　これは党でちゃんと総務会にかけて、党としての決議を出すべきだと思いますよ。

櫻井　党としての決議を出すと同時に、他の政党に呼びかけて、立法府の人間の我々がきちんとした意思表示をして、国会決議をしようという動きにつながらないと意味がない（編集注／二〇二〇年七月八日、自民党の中山泰秀外交部会長らは菅官房長官に決議を渡した。決議では中国が香港国家安全維持法を施行したことを非難し、国賓来日については「中止を要請せざるを得ない」と表現を弱めた）。

田北　たぶん公明党への配慮ですよ。それはやらないと思います。

石橋　そんなことをしていたら、公明党と一緒に沈むだけですよ。自民党は「与党ボケ」が始まっている。そういう意味では緊張感が出た方がいいのですよ。だって、いなくていい議員、いっぱいいるもの。

櫻井　中国に対して政府がきちんとモノを言えないのであれば、その空白を立法府の国会が補うくらいの決意がほしい。自民党は政権党として政府を支えると同時に、政府に注文をつけなければ存在意義に欠ける。米国の政治がよいというつもりはないけれど、米国では議会が非常に活発に意見を表明し続けています。ウイグル問題、香港問題、孔子学院問題、知財窃盗問題……あらゆる件で議会による調査、分析、問題提起が行政府としてのホワイトハウスを動かしています。自民党はそうした自覚を持って活動してほしい。

二〇二〇年の中国の目標

櫻井　眼前の危機として尖閣問題があります。危ないです。
実はこの「言論テレビ」に安倍晋三総理が出演してくださった時に、尖閣問題について聞いたら、いや、万全の体制で守っていますと。

田北　圧倒的な体制、と仰っていましたよね。

櫻井　でも尖閣にやってくる中国の海警局の船はみんな三〇〇〇トン、五〇〇〇トンクラスです。海上保安庁の船で大きいのは一五〇〇トンくらい。三〇〇〇トンクラスもありますが、尖閣に張り付いているのはそんな大きな船ではありません。
日本は大きさもそうだし、船の数も少ないわけです。いろいろな所からかき集めて、中国の船一隻に対して、複数の日本の船を配置しているという意味で総理は圧倒的な体制だと仰ったのでしょう。でも、中国はその後、船をどんどん増やしているし、海警局は中国人民解放軍とオペレーションも一緒にやると、つい先日、発表しました。

田北　海警局は中央軍事委員会の直系になりました。

櫻井　そうです。軍そのものが尖閣の海に入っているのに、我が方は海上保安庁です。法体系は軍とは無縁です。海保の船はスピードを出すために、船も軽くして甲板など薄いものでできているから、早いのだけれども脆い。いろいろなことを考えると、本当に準備が出来ているのだろうかと疑問に思います。

田北　先日、漁船が尖閣海域で漁をして、海警局の船に追尾されましたよね。あの時に何が起きていたか。あの時、海警の船、海上保安庁の船、漁船といたのですが、海警の船は漁船や海保の船を追い出したあと、また戻っているのですよ。

櫻井　そう。そこがものすごく重要ですね。

田北　これが海外に伝わると、実態はもう中国が実効支配しているではないかという〝事実〟として残ってしまうわけです。中国はその積み重ねをしています。私は中国は恐らく一発も発せずに尖閣を取りに来ると思っています。この積み重ねで、じーっと様子を見て、どこかのタイミングで民間人を上陸させる。

櫻井　民間人と称する人たちね。

田北　そうです。その後に、軍が出てくる。これは南シナ海でもやっているし、インドとの国境沿いでもそうです。最初にいわゆる民間人を入れて、その後、軍が入ってという流れです。尖閣もそれでやってくる。

櫻井　必ず来ますね。南シナ海で起きることは必ず時間差を置いて、東シナ海、尖閣で起きているのですから。

石橋　中国にとって二〇二〇年は、節目の年ではないですか。海軍発展戦略というロードマップにおいて、躍進後期（二〇一〇年から二〇二〇年）の節目の年。

その前の躍進前期（二〇〇〇年から二〇一〇年）の節目は二〇一〇年です。この時に何があったかというと、あの悪夢の菅直人政権の時に海上保安庁の船に中国漁船が衝突。船長を逮捕したら、中国が返せ、返せと、すごい嫌がらせをした。

あれは何かといったら、二〇一〇年までに第一列島線内の制海権を確保するという国家目標があったのです。日本が海上警察権を発動してしまうと、中国は、目標である第一列島線内の制海権を確立できていないことを内外に証明することになる。政権の威信をかけても、中国漁船の船長が日本の司法制度で裁かれるのを許すわけにはいかなかったのでしょう。

二〇二〇年は、第二列島線までの有事の際のアクセス拒否権を確立するとしている。だからこの間、奄美のところを潜航したままの潜水艦が通って、太平洋に抜けていったりしています。国内向けにも二〇二〇年の躍進後期の最終年で、ちゃんと目標は到達していますと見せないといけない。

フェーズが変わった

櫻井　日本国の総理大臣としてすべきことは、この大きな図柄の中で日中関係を見て、中国に対して抑えるところはきちんと抑えていくことです。もっと言えば、きちんとした国家としての意思表示を中国に対しても、それから世界に対してもしないといけない。日本国内だけに向けて発信して、わかってもらえるだろうと思っても、無理です。その辺は私たちもそれでは駄目だということを言っていかなくてはいけない。

日本の対中政策の甘さは、二階俊博幹事長の影響もあるのではないかと思います。この点はどうですか。

田北　いや、すごいですね。中国の浸透力は相当なものですよ。

櫻井　幹事長に座っている人が親中派。しかし、国民の思い、そして世界の目は、いま中国に対してきちんと物を言うべき時だというものです。中国に侵食されているにもかかわらず、ヨーロッパ、イギリスでさえも物を言い始めています。やはり十分に物を言うべき理由が中国の側にある。中国に責任があるわけです。

香港民主活動家の周庭(アグネス・チョウ)さん。若い女性です。民主化運動の先頭に立って闘っていた彼女たちは、香港国家安全維持法が六月三〇日に通り、七月一日に施行されて行く時に、今まで属していた政治団体をやめたでしょう。

そのとき彼女がツイッターで、こうつぶやきました。

〈私、周庭は、本日をもって、政治団体デモシストから脱退致します。これは重く、しかし、もう避けることができない決定です。

絶望の中にあっても、いつもお互いのことを想い、私たちはもっと強く生きなければなりません。

生きてさえいれば、希望があります。

周庭

２０２０年６月30日〉（周庭氏ツイッター、二〇二〇年六月三〇日）

私は本当に涙が出そうになりました。あの若い女性が、命がけでやっている。命がけでここまで闘ってきて、これからも闘おうとしたけれども、国家安全維持法ができた。実際に逮捕されている人がたくさんいる。逮捕されたら最後、中国本土で裁かれるかもしれない。香港で裁かれても裁判官が政権によって選ばれるわけですから、結果は目に見えています。

そういった中で本当に命の危険を感じて、それでも頑張ろう、そのためには今まで信じてきた政治団体をとにかく抜けないと相手に口実を与える、と。でも命さえあれば私は闘い続けることができるという、この悲痛な叫びを、なぜもっと日本の首相は聞いてくれないのだろうと思います。なぜ自民党はもっと聞いてくれないのだろうと思います。

しかし現実を見ると、政府にも政権にも親中派の壁がある。幹事長であろうが、誰であろうが、親中派がいる。もしくはビジネスのことしか心配しない財界の人たちに、安倍総理が影響されている。もしそうだとすれば、残念です。私はそれを強く言いたいと思います。

石橋　明らかにコロナ後でフェーズが変わった。それに総理は気づいていますよ。二階さんはもうお年だし気づいていない。自民党の多くもまだ気づいていない。財界はもっと気づいていない。

この間、中国は事実上、日本企業の資産凍結をしているのです。日本企業は中国に工場を作っても、工場の儲けを日本に移せなかったのですよ。唯一、裏技として金融センターである香港を使って移せたのです。これが香港も機能しなくなる。もうどんなに中国で儲けたって、現地の資産は中国政府に召し上げられるだけなのだと、気付かざるを得なくなるではないですか。これに今まで気がつかなかった日本の経営者たちは、なんと愚かなのか。いよいよそういう時期が秋以降に来るのですよ。

花田　でも、トヨタをはじめとする日本企業はもう中国に早速戻っている。戻ろうとしているわけでしょう。

石橋　だからそういう会社は、潰れるしかないと思う。

花田　情けないね。

櫻井　香港に対してアメリカは、非常に厳しい制裁を科しています。今まで香港を特別扱いにしていましたが、その特別扱いの本当の意味は、アメリカのドルと香港ドルの交換ができたということです。でもこれを金融面でもアメリカは締め付け始めています。香港ドルとアメリカドルの交換ができなくなると、中国に流れ込む外資の七〇％が香港経由ですが、これが止まる。石橋さんが指摘されたように、中国のものを日本に持って来るルートも止まるということで、だから本当に事態は変わる。

石橋　そうでしょう。ボリス・ジョンソン英首相が、香港から逃げてきた人に市民権を与えると述べましたね。そういう意味では、これは人道的措置のように見えるけれども、ジョンソン首相は香港の金融センター機能をロンドンに持ってこようとしているわけでしょう。そういうところを見ても、日本政府は動きが遅いと思うし、与党、もうちょっと勉強しろよと。何をしているのだと思います。

（二〇二〇年七月三日放送）

第2章　「九条二項」の呪縛

佐藤正久×織田邦男×矢板明夫×櫻井よしこ

佐藤正久（さとう・まさひさ）
参議院議員。一九六〇年福島県生まれ。前職は陸上自衛官（最終階級は1等陸佐）。防衛大学校卒業。米陸軍指揮幕僚大学卒業。PKOゴラン高原派遣輸送隊初代隊長、イラク先遣隊長、復興業務支援初代隊長等を歴任。二〇〇七年退官後、同年参議院議員（自由民主党全国比例区）初当選。参議院外交防衛委員会理事、防衛大臣政務官、外務副大臣などを歴任。

織田邦男（おりた・くにお）
元空将。一九七四年防衛大学校卒業、航空自衛隊入隊。F4戦闘機パイロットなどを経て八三年、米国の空軍大学へ留学。九〇年、第301飛行隊長、九二年米スタンフォード大学客員研究員、九九年第6航空団司令などを経て二〇〇五年空将。〇六年航空支援集団司令官（兼イラク派遣航空部指揮官）。〇九年に航空自衛隊退職。二〇一五年東洋学園大学客員教授。

矢板明夫（やいた・あきお）
産経新聞台北支局長。一九七二年中国天津市生まれ。一五歳のときに残留孤児二世として日本に移り住む。一九九七年慶応義塾大学文学部卒業。同年松下政経塾に入塾（第一八期）。研究テーマはアジア外交。その後、中国社会科学院日本研究所特別研究員、南開大学非常勤講師などを経て、二〇〇二年中国社会科学院大学院博士課程修了後、産経新聞入社。さいたま総局などを経て、〇七年から中国総局（北京）特派員。一七年から外信部次長。二〇年四月から現職。

連発された尖閣暴言

櫻井 私が理事長を務める国家基本問題研究所（国基研）が、全国紙に意見広告を打ちました。国基研は「尖閣諸島が危ない」と非常に強い危機感を感じていて、多くの方とこの危機感を共有したいと願っています。今回は尖閣問題について、佐藤正久参議院議員、元空将の織田邦男氏、産経新聞台北支局長の矢板明夫氏と論じていきます。

中国の王毅外務大臣は、二〇二〇（令和二）年一一月二四日、二五日と日本を訪れ、尖閣問題は日本の漁船が尖閣周辺海域に入ってくるから起こっているのだ、という暴言を連発しました。

二四日の茂木敏充外相と王毅中国外相の会談で茂木外相は尖閣問題について非常に強く物申しました。しかし、その後の共同記者発表で王毅外相は次のように述べたわけです。

〈ここで一つの事実を紹介したい。この間、一部の真相が分かっていない日本の漁船が絶えなく釣魚島（＝尖閣諸島の中国名）の周辺水域に入っている事態が発生している。中国側としてはやむを得ず非常的な反応をしなければならない。われわれの立場は明確で、引き続き自国の主権を守っていく。敏感な水域における事態を複雑化させる行動を避けるべきだ〉

佐藤正久

翌二五日に、王毅中国外相は菅義偉首相と会談しました。その後、記者団に対して、尖閣諸島周辺について「偽装漁船が繰り返し敏感な海域に入っている。このような船舶を入れないようにするのはとても大事だ」という主旨を述べたのです。

佐藤さん、一連の中国側の発言をどう考えますか。

佐藤　わざわざ「偽装漁船」という言葉まで使いましたが、我々からすると、中国の方が偽装漁船だと言いたいし、いったい王毅外務大臣は何のためにきたのかと。

まず、王毅外相の発言は「盗人猛々しい」と言ってもおかしくないくらいの発言だと思います。わざわざ日本に来て、こういうことをぶっ込んできたわけです。

櫻井よしこ

今回は外務省の建付けも悪いのです。まず外相会談を行い、その後、共同記者会見、次にワーキングディナーというスケジュールです。共同記者会見は、今回、質問を一切受け付けない。まずホスト側の茂木外務大臣が一通り話す、その後に王毅外務大臣が話して質問を受け付けずに終わりというのが、一応、約束ごとだったのです。ところが王毅さんは日本語のスクールですから、日本語が分かるのですよ。

櫻井 かなり上手ですね。

佐藤 はい。ところが茂木さんは中国語が分かりません。だから一つのフレーズの後に通訳するのではなく、同時通訳をしなければ、茂木外相には王毅外相が何を話しているのかは分からないのです。だからこの問題発言の

織田邦男

時に、茂木外相は彼が何を言っているのか分からず、ちょっとにやけたような顔をカメラに撮られてしまった。

ルールとしては先攻、後攻では後攻が有利に決まっているのです。

櫻井　その意味では後攻の中国が有利だった。

尖閣「棚上げ」の真相

佐藤　そして最後に前述の問題発言をぶっ込んできたわけです。茂木外相はルールを破ってでも王毅外相の発言の後、「それは間違いです。尖閣は日本の海です。終わり」と仕切れば良かったのですが、それを言わずに逆に「謝謝（シェイシェイ）」と言って、夕食会場の方にいざなったところがカメラに映ってしまった。

矢板明夫

いくら会談で厳しいことを言ったとしても、表の発信で主張しなければ、国際的には反応したことにならない。まさに王毅外相が日本に来て、中国の主張を述べたことだけが発信されてしまう。そういう建付けも非常に今回、問題になったと思います。

櫻井 建付けだけではなく、日本外交そのものに、いま指摘されたようなその場で反論しない〝癖〟があります。例えば一九七八（昭和五三）年、副首相だった鄧小平が日中平和友好条約批准のために来日した時、一〇月二五日に行われた記者会見で「尖閣問題は棚上げした」と勝手に言ったわけです。鄧小平はこう述べました。

「尖閣諸島をわれわれは釣魚島と呼ぶ。呼び名からして違う。確かにこの問題については

双方に食い違いがある。国交正常化のさい、双方はこれに触れないと約束した。今回、平和友好条約交渉のさいも同じくこの問題にふれないことで一致した」

これはその後、「尖閣諸島棚上げ論」として、日中間に棚上げの合意があったかのように報道されていきました。実際にはそんなものはなかったのですが、日本側が記者会見のその場で反論しなかったために、鄧小平の発言が定着していきました。

その後、二〇一〇（平成二二）年一〇月一八日になって河井克行氏が国交正常化のさいの約束、「尖閣棚上げ」について質問主意書を提出し、それに答える形で日本政府は「お尋ねの約束は存在しない」としました。また、鄧小平が会見で述べた平和友好条約交渉のさいの「尖閣諸島問題にふれないことで一致した」という事実はあるのかとの質問に対しても、「お尋ねの事実はない」と答弁しています。

これで、一応、日本の専門家は納得するかもしれませんが、世界は「棚上げしたんだ」と思っています。ということは「領土問題は存在したのね」ということになって、最初から中国のつくった舞台に乗せられてしまうわけです。

その場で反論しなければ駄目なのです。どうして日本はこういう国益を損なうような対応をするのでしょうか。

佐藤 私も外務副大臣を務めましたが、外務省はそれを「大人の対応」だと言うのですよ。しかし、これは通じないのです。外交は子供には子供の対応、悪者には悪者に対する外交をしないといけない。今回、王毅外相は、それをある意味、言うために来たのですから。

本来は、中国は先月来日したかったのです。ポンペオ国務長官が先月(二〇二〇年一〇月六日)に来日し、日米豪印四カ国での外相会談で「中国包囲網」みたいなことを言って、中国批判をして帰った。その毒を消すために、中国は先月(一〇月)来たかったけれども、来れなかったのです。だから一一月になって来日し、関係国と日本の中国包囲網をなんとか断ち切り、日本の国民を自分の味方につけようとした。しかし実際は先の尖閣発言をして、逆に悪い印象をどんどん広めてしまったのです。何をしに来たのだと言いたいですが、日本の外務省も、そういう悪者には悪者に対する対応をするという腹づもりでいなければなりません。大人の対応では通じない。

計算された王毅発言

櫻井　織田さんはどう思われますか。

織田　王毅外相はいったい何をしに来たのでしょう。彼の訪日成果を一言で言うと、戦略的失敗、戦術的成功だと思います。彼はわざわざ尖閣について主張するために来日したのではないと思うのですよ。いま、中国は、香港、ウイグル、チベット、南シナ海、東シナ海での傍若無人な行動で世界的に孤立している。そして日米で新しい首脳が誕生しました。ですからこれを機に日米間に「楔(くさび)を打つ」のが訪日の戦略目的だったと思うのです。

でも、結果的に今回の発言でその目的は達成しなかった。親中派の日本人を作ろうとしたらみんな反中、嫌中派になってしまった。そういう意味では戦略的失敗ですよ。

ただ、戦術的な成功はありました。

尖閣諸島には、日米安保第五条が適用されます。二〇一七年の安倍晋三首相とトランプ大統領の日米共同声明で初めて「尖閣に日米安保第五条適用」ということが文書化されました。同じことは、オバマ政権でも口頭では述べていますが、文書化されたのは一七年が初めてです。そして今回、菅首相とジョー・バイデン大統領になり、アメリカのバイデン大統領が向こうから電話で、第五条を適用すると言ってきたわけです。

日米共同声明以降、中国はこの第五条をしっかり研究しています。ポイントは二点あると見ています。つまり日本の施政下にある領域への適用ということ、そして自動参戦ではないことです。アメリカと事を構えたくない中国はこの二点を念頭に行動方針を立てています。つまり、日米安保第五条を空洞化するには、尖閣が日本の施政下になければいいわけです。だから実効支配は中国が取っているぞと、中国海警局などの日常の行動で示そうとしているわけです。それを今回、世界的に大々的に述べたということで、戦術的には成功。逆に言えば戦術的な痛手を日本は受けたということだと思います。

櫻井 矢板さんはいかがですか。今は台北支局長ですが、その前は北京にいらっしゃいましたね。

矢板 私は北京に一〇年間駐在し、ずっと尖閣問題を見てきたのですが、今回の王毅外相の訪日にはもの凄くはっきりした目的があったと考えています。

二〇〇八年の一二月までは、尖閣周辺海域に中国の公船は一度も入ったことがないのですよ。それまでは完全な日本の単独支配だったわけです。二〇一二年の尖閣国有化があって、その頃、中国の船が定期的に入ってくるようになった。中国の言い分は日本の単独支配を崩したというものです。もちろん、日本は認めていませんが、中国の公船が定期的に尖閣周辺海域に入っているのは事実です。

今回、王毅外相は来日して、二つのことを言っています。

一つは日本の不審船、いわゆる偽装した漁船が尖閣周辺に入ってきているということ。そんなことは、常識的に考えてあり得ないわけですよね。いまの日本の自衛隊が民間人の恰好をして、武器を持って船に乗っているようなことはあり得ない。尖閣諸島はそもそも日本が支配している日本の領土ですから、そういうことをする必要が全くない。ただ、王毅外相によって日本は否定しなかったと世界に発信されたのですよ。しかも王毅外相は二回もこの話を日本でしています。

私は福建省と浙江省の「海上民兵」を何度も取材しています。中国の海上民兵が偽装漁船、不審船で尖閣の海域に出てきている歴史がありますが、彼らはそれを日本もやっているとしているわけですね。日本が否定しなければ、これが既成事実として国際社会に認知されてしまうという、非常に怖いことなのです。

もう一つは、中国メディアが王毅発言の翌日にこう書いているのです。王毅外相が日本に対して、尖閣（中国では魚釣島と呼んでいますが）問題を平和解決する提案をした、と書いている。中国が平和的な解決を提案をし、日本はまだ回答していないという形になっているのです。そうすると中国が何か平和的でまともな国という感じになる。恐らく今後、中国は必ずこの王毅外相の提案をずっと繰り返し主張する。すると、なんとなく日本が中国の平和的な解決案を拒否しているということになり、国際社会における日本のイメージが非常に悪くなるわけですよね。

こういうことを中国はちゃんと考えている。しかも記者会見の最後に自分が発言して言いっ放しで終わるという騙し討ちみたいな話。非常に計算されたやり方だと思いますね。

「大人の対応」で立場が逆転

櫻井 今までの歴史を見ると、中国がこのような行動に出ることは、ある意味、外交の専門家にとっては想定の範囲内であるわけです。にもかかわらず、総理大臣、外務大臣、官房長官、つまり菅氏、茂木氏、加藤勝信氏の三人がこの問題について、中国にどういう物言いをしたか。前向きに対処して欲しいと述べているわけです。「前向き」とはどういうことですかという話です。中国から見た「前向き」とは、尖閣周辺が中国の海で、それを日本が認めることです。日本の「前向き」とは全然、違います。

このように現在進行形で深刻な状況になりつつある事柄に対して「前向き」などという極めて抽象的で意味のない言葉をなぜ使うのか。お三方ともに同じ言葉を使っているということは、外務省がこういう準備をしたと考えざるを得ません。政府中枢の三人はそれに従ったということでしょう。

佐藤 その通りで、その点についても昨日の外交部会で議論になったのですよ。「前向きな行動を求めた」というのは、意味が分からないじゃないですか。

櫻井 自民党外交部会ではどのように追及したのですか。

佐藤 やはり、不法行為、あるいは挑発行為をやめるよう強く求めたと言わなければならない。そこは非常に議論になって、外務省も若干、表現が悪かったというような感じもありますけれども。

櫻井 表現が悪いという問題では済まないでしょう。

佐藤 「大人の対応」の駄目なところなのです。ハッキリ言わないといけない。いくら裏の会談で実際に強く言ったとしても、表で否定、反論しなければ、まさに矢板さんが指摘されたように、それが世界に発信されてしまうわけです。だから「大人の対応」をしてはいけないのです。

櫻井 遠慮して、「大人の対応」で中国にはっきりとモノを言わないために、いつの間にか立場が逆転していくのです。矢板さんが仰ったように、二〇〇八年一二月までは、中国の船は一度も来ていない。野田佳彦政権の時に国有化して、それから来はじめたわけですが、いつの間にか立場が逆転し、いまや中国が私たちに出ていけと言うようになった。いまでは偽装した日本の漁船が入って来ているとまで、彼らは言うわけです。

ここまで立場が逆転してしまったのは日本側の「大人の対応」ゆえですが、その自覚は外交を担う人々にあるのでしょうか。

佐藤 主権にかかわる事項は絶対に譲ってはいけない。にもかかわらず、どうしてもどこかに、経済的な協力をしないといけないとか、隣国だからやはり仲良くしないといけないという、なんとなく日本人の人の好さが出てしまっています。

でも国際政治はそんなに甘いものではなくて、言ったもの勝ちです。中国の歴史を見ても、「力の空白」があればどんどん出てくるわけでしょう。チベット、ウイグル、南シナ海を見ても、覇権的な膨張主義が中国なのです。そういう国に対しては、「大人の対応」的なものは通用しないとならなければいけない。今日、記者会見について、外務省の幹部に、外交部会としてはこういうものは認めないと盛んに言いました。次にこんなことをしたら大変なことになりますから。

「力の信奉者」と「力の空白」

櫻井　いま佐藤さんが述べたように、中国はチャンスがあれば必ず侵略の手を伸ばしてきます。そのチャンスとはどのようなものか。

基本は、中国がいま一番怖がっているアメリカが動けない時、アメリカがうっかり油断している時ですね。例えば一九六二年一〇月にキューバ危機がありました。アメリカがジョン・F・ケネディの時にソ連のフルシチョフがキューバに核ミサイルを持ち込もうとした、いわゆるキューバ危機です。これは『13デイズ』という映画にもなりました。

そのキューバ危機が起きて、アメリカがそれに集中していた時、中国はインドに二カ所から侵入したのです。中国の侵略が六日目か七日目に入った時、インドはもう耐えきれずにSOSを出した。しかし、アメリカはキューバ問題にかかりきりで動けなかった。それで中国が取ってしまった。一三日間続いたキューバ危機が終わって、ソビエトの核が撤去されることになった時に、アメリカ軍はようやくインドに軍用機を送るわけですが、もうその時までにはインドの領土は取られていた。

一九九一年にフィリピンからアメリカ軍が撤退した時にも、中国はサッと南シナ海に入ってきて、スプラトリー諸島（南沙諸島）のミスチーフ礁を取りました。また、アメリカが湾岸戦争で手一杯の時には、それを尻目に中国は一所懸命ハイテク技術の開発に集中しました。

そしていまはトランプ氏からバイデン氏に米政権が移行する時期です。米国はまたもや混乱期にあるわけで、もの凄く危ないのではないですか？

織田 私がアメリカの大学に留学している時に、天安門事件で亡命した中国人に、もの凄くお世話になったのですが、彼に中国とはどういう国かと聞いたことがあります。彼は即座にこう答えました。中国は「二人のカールを愛する国だ」と。二人のカールとは、カール・フォン・クラウゼヴィッツ（軍人、軍事学者）とカール・マルクス（社会主義革命家、経済学者）です。二人に共通しているのは「力の信奉者」ですね。

ですから中国は「力の空白」があったら必ず攻めてくる。例えば一九七三年にベトナム戦争でアメリカが敗北、撤退しました。そしてベトナムも弱っている、まさに力の空白ができたということで、七四年、パラセル諸島（西沙諸島）を武力で奪いとりました。その後も、一九八五年にソ連がカムラン湾から撤収しました。そこには航空基地がありTu－95がウラジオストックから定期的に飛んでいました。それに我々、航空自衛隊はスクランブルをかけて、対馬海峡通峡で領空侵犯されないよう警戒したものです。これが撤退した後、力の空白ができたということで八八年には南シナ海に侵出しました。九二年には、米空軍がフィリピンのクラーク基地から、米海軍がスービック湾から撤退を決めた途端、中国は「領海法」を定め、南シナ海、東シナ海、そして尖閣まで自国の領土とし、九五年にはミスチーフ環礁を、九八年にはスカボロー環礁をフィリピンから奪いました。

さらに二〇一三年九月には、オバマ大統領がアメリカは「世界の警察官」ではないと述べました。その半年後、何があったかというと、猛烈な勢いで南シナ海の埋め立てが始まったのです。

同時にクリミア半島がロシアに併合されました。つまりプーチン大統領も「力の信奉者」なのです。ですから「力の信奉者」に対しては「力の空白」を作ってはならないのです。中国は「力の信奉者」ですから、虎視眈々と「力の空白」を狙っているということが言えると思います。

既成事実の積み上げ

櫻井 矢板さん、今回の王毅外相のやり方を見ると、中国にはどんな小さな隙も見せてはいけないと分かるのですが、台湾の危機感から見ると日本は隙だらけの国に見えるでしょうね。

矢板 そうですね。例えば、アメリカの大統領選挙が始まる前日辺り、台湾は国家安全会議を開いています。中国の侵攻に備えて、万一何かあった場合には軍だけではなく警察も動員しなければならないと、そういう会議を行っているわけです。緊張感が全然違います。

特に最近、中国の航空機が台湾との中間線を超える挑発行為が非常に多い。これも中国的なやり方で、要するにアメリカの政治空白を突いて、既成事実をいろいろと作ってしまう。台湾との中間線は、ずっと事実上の停戦ラインだったのですが、これを中国軍が越えて、しかも中国の外務省はそんな中間線は存在しないという発言をしているわけですね。

尖閣に関してもそうで、王毅外相の提案は、つまり尖閣は日本の単独支配ではなく中国との共同支配なのだとしているわけです。

いま香港で中国が行っていることも同じです。米大統領選挙で政治空白になった途端に、香港の議員四人の資格を停止して、剥奪したわけです。それに抗議をして残りの一五人の民主派議員が全員辞めたので、いま香港の議会には野党がいない。親中派しかいない状況になっています。しかも香港民主派の活動家はどんどん逮捕して裁判にかけ、周庭（アグネス・チョウ）氏は一二月二日に実刑が言い渡されます。これらのことを全部、アメリカが国内に集中している間にやってしまうのですよ。

そしてこの後、バイデン大統領が誕生すると、中国と交渉することになりますね。その時、中国はちょっとだけ譲ればいいのです。

櫻井 アメリカが動きだす時には、中国はすでに一歩も二歩も前に進んでいる。それが新しいスタートラインになって、結局は中国有利になっていくというのが現実ですね。

中国はいま日本に狙いを定めていますが、その理由は他でもなく中国が世界中で孤立しているからです。いま、どの国も中国を好きではないし、友達になりたいとも思わない。そういった状況の中で、日本が一番、中国に優しくなり得る国です。日本は精神的に弱い国ですから、中国は日本を取り込むことで包囲網を崩そうとしているのです。天安門事件当時と同じ形を取ろうと中国は考えているのですが、それに対して日本の政治家は少しでも警戒心を抱いているのでしょうか。

中国は日本を「韓国」にしたい

佐藤　私のような安全保障に軸足を置いている人間はもの凄い危機感を持っています。間違いなく王毅外相は日本を韓国のようにしたいと思っているのです。要は、同盟国はアメリカだけれども経済は中国、という状態にしたい。この「二重依存」を日本にもっと押しつけたいと考えている。つまり、経済を重視する人間、「安全保障よりも経済」という人間を増やしたいということです。

中国は日米豪印の間に楔を打ちたい。今回、アメリカから中距離ミサイルを日本に置きたいという発言がありましたよね。中国はそういう可能性をつぶして日米協調に楔を打ちたい。中国包囲網を何とか破るためには日本を経済的観点でどんどん取り込みたいと願っているのは間違いない。日本がそこに軸足を置いてしまったら向こうの思うつぼです。我々は価値観外交、つまり自由、民主主義、法の支配に軸足を置いて、日米同盟を主軸としなければ中国の思うつぼで、どんどん侵食されます。

櫻井　中国は日本を第二の韓国にしたいのです。先ほどの佐藤さんの指摘は的を射ていると思います。そのためには何よりも日本経済の中国依存を高めさせようとする。

日本の財界には、例えば経団連を見ればはっきりするのですが、中国の要請に応じる人物や企業がたくさんいるわけです。他方アメリカは絶対にそれを許さない。また、そこには日本の生きる道もありません。

佐藤　金融で締め上げられたら日本は終わりですから。

櫻井　自民党の人たちはどのくらい危機感を持っているのでしょうか。私が凄く残念だと思うのは、前述のような暴言を王毅外相に吐かれて、政府が声をあげられないなら、なぜ自民党の方で声をあげないのかということです。自民党は与党の責任を認識しているでしょうか。

佐藤　私も自民党の外交部会長でまさにその立場にいるので、昨日（二〇二〇年一一月二六日）の朝八時から会議を開いたのです。間髪容れずに。

櫻井　何かお決めになった?

佐藤　出席者から王毅外相に対する批判、日本外交に対する批判がありましたので、決議をまとめました。これは外務大臣にも届けます。また、マスコミでも外交部会で決議をまとめるということが報道されました。我々は自民党という政党ですから、おかしいものはおかしいとやはり政府に言わないといけない。今日（一一月二七日）の参議院の本会議でも自民党の山田宏参議院議員が質問しました。日英EPA（経済連携協定）の質疑だったのですが、冒頭に日中外相会談でなぜ反論しないのだと質問し、外務大臣の答弁を求めたのです。こういうこともやってはいるのですが、その発信が弱いという部分もあるのかもしれません。ご指摘のように、自民党も、おかしいものはおかしいともっと発信しないといけない。

櫻井　私がなぜ自民党を批判するか。与党としてこれだけの支持を国民から得たのですから、その分重い責任がある。与党である自民党から大きな声が出てこないのが凄く口惜しい。

王毅外相と二階幹事長が（一一月）二五日に昼食を共にしています。二階氏は非常に親中的な方です。中国と交流するのはいいですが、その場でどういう話をなさったのか、なさらなかったのかもよく分からない。二階氏は果たして日本の国益を守る発言をしたのか。中国の非常識で国際法違反で侵略的な言動は日中友好のためによくありません、と言ってくれたのか。何も伝わってきません。二階氏は幹事長ですから自民党の総元締めでしょう。自民党そのものの対中外交への認識が、しっかりしていないのではないかという危機感を感じています。

織田　私はもともと現場の人間ですから、ちょっと違う視点で述べたいと思います。現在、尖閣周辺の主権を護るために死にもの狂いで海保が頑張っています。尖閣上空のいわゆる領空主権を守るために航空自衛隊も日夜、本当に頑張っているのです。

そのような状況下にあって、こういう発表をされると現場の人はどう思うかですよ。実際に主権を命がけで守っているのは現場の人なのです。日本の公式的立場は、基本的には日中関係に領土問題はないということですよね。にもかかわらず、こんなうっちゃり負けみたいなことをされたら、現場の人はたまらないと思います。そういう現場の人のことまで考えて政治家は発言すべきだと思いますね。

防衛力整備こそが重要

櫻井 その現場です。いま、尖閣の現場は本当に危ないところに来ています。海警局の公船が領海侵犯した時間ですが、二〇二〇年の五月が二六時間、七月が三九時間、一〇月が五七時間です。一二海里の接続水域に入った日数は三〇〇日以上です。一年、三六五日のうちこの時点で三〇〇日以上です。ということは、ほとんど毎日、中国の船は来ているわけです。もちろん海保の船の方が尖閣に近いところにいるにせよ、この状態を日本政府、日本の政治家はどう見ているのでしょうか。

佐藤 日本も年々、海上保安庁の予算や人員を増やしたり、自衛隊と海上保安庁の連携を強化しているのは間違いありません。しかし、それ以上のスピードで中国海警局の船が増えていったり、あるいは中央軍事委員会の隷下に入り、海警局が第二海軍化したりしている。法律もどんどん整備し、中国の主権を守るためにいざとなったら武器を使ってもいいとなった。法律がなくても中国はやっていますが、そういう「法律戦」的なこともやってくる。

日本以上に向こうのスピードは速く、挑発レベルが上がっているということです。結果的に海上保安庁の船と中国海警の船、その後ろに日本の自衛隊と中国軍がいますが、年々、狭まっている。我々は危機感を持っています。

我々自民党としても、もう少し、一歩踏み出さないといけない。中国側の反発があるから何もやらないではなくて、そうした摩擦を覚悟の上でもう一歩踏み出さないと、もう守れない。施政権下という部分、有効に支配しているという部分が保てない。

防衛力、警察力、行政力という観点がありますが、防衛力をやらなければならない。灯台の整備や環境という行政力も大事ですが、一番は防衛力なのです。

櫻井 国家基本問題研究所の意見広告で、私たちは灯台を整備せよ、船溜まりを作れと書いたのですが、それにとどまっていてはならないと。

佐藤 役所は船溜まり反対派。

櫻井 理由は？

佐藤　船溜まりは、確かに相手がよければいいのです。例えば日本の船を守るためにはいい。でも、相手が悪ければ船溜まりを利用しますから。

櫻井　彼らに船溜まりを利用される。

佐藤　時化があったりすると船溜まりに入ってくる。実際に五島列島の玉之浦の方ではそれをやられているわけで、もしもそういうものを作るのであれば、入って来たものを排除する力とあわせて用意しなければやられてしまいます。

大事なことは、例えば櫻井先生が中国人民解放軍の将軍だとしたら、日本が灯台をちょっと作ったら怖いですか？　ということです。怖くないでしょう。やはり行政力の後ろには警察力がしっかりしていて、何かあったら日本の法律が施行できる、警察力の後ろには強い軍事力。つまり自衛隊という防衛力があるから警察力が上手く活きる。実は南西諸島は非常に基盤が弱くて、織田閣下が専門ですが、F15がいま使えるのは那覇空港しかないのです。もう一カ所、実は下地島空港があるのですけれども。

櫻井　下地島には三〇〇〇メートルの滑走路がありますね。

佐藤　あるのですが、沖縄県が自衛隊の使用を認めていない。嘉手納基地を除けば、F15が使えるのは那覇空港と下地島空港しかなくて、下地島空港は自衛隊が使えない。となると、那覇空港から飛んでいくしかないのです。尖閣諸島までの距離は、沖縄本島から四二〇キロですが、対岸の中国福建省の水門空軍基地からは三八〇キロで実は中国からの方が近い。そうなるとやはり、向こうにとっては怖くないわけです。

海上自衛隊の輸送船が入れる港は、沖縄本島を除くと、宮古島の平良港と石垣島の石垣港の二つしかない。多くの島々に人が住んでいますが、喫水と岸壁の長さの関係で海上自衛隊の輸送船は入れないのです。ですから、いまからいざという時のために、住民避難や自衛隊の展開など、そういうことを考えて基盤整備をしておかなければならない。

それから結局、兵站がないと動けません。弾薬庫、燃料庫も全然足らないです。いま例えば宮古島に陸上自衛隊の基地ができましたが、そこにヘリコプターの燃料がどれだけあるかというと、全然、足りないですよ。陸続きではなく、島なのでそういう兵站の問題もあります。

防衛力が何かあれば動ける体制になっていれば、海上保安庁も沖縄県警も動ける。それがあれば、いまの国家基本問題研究所が提言しているような行政力の施策が活きてくるわけで、一体でやらなくてはいけない。

「公務員常駐」の覚悟

櫻井　佐藤さんは、灯台なんかではなまっちょろい、駄目です、軍事力、兵站という準備をもっとやらないといけないと指摘されました。織田さんいかがですか。

織田　基本的には、中国はアメリカとは事を構えたくないのです。しかしながら尖閣は核心的利益だから武力を使ってでも盗りたい。こういう話です。ですから中国は、アメリカが手を出せないように実効支配を奪い取るということです。

先ほども申しましたように、日米安全保障条約の第五条には「日本国の施政の下にある領域における、いずれか一方に対する武力攻撃」とあるわけですから、「施政下にない状態」を作ればいい、つまり実効支配をとればいいということです。それで着々と既成事実を積み重ねているわけです。それを日本はやはり押し返さなくてはいけない。

ただし押し返そうとして仮に、自衛隊を尖閣に常駐させたとします。自衛隊を常駐させろとか、警察を常駐させろとか、そういう案がありますね。

櫻井　日本人、とりわけ公務員を尖閣に常駐させるべきだという声は少なくありません。

織田　それをやったら必ず中国にいる日本人商社マンが無実の容疑を着せられて、スパイ容疑などで捕まったりするでしょう。その時、日本政府は今のオーストラリアのように、それでも闘うんだという腹があるのですかということです。日本国民、そして日本政府に、その腹はあるのかと私は聞きたい。中国駐在の日本人のみならず、貿易関係者に対してもあらゆる手を使った嫌がらせを受けますよ。オーストラリアは実際にそれをやられているのです。

櫻井　尖閣で、中国の漁船が海保の船にぶつかってきて、船長を我が方が逮捕した時に……。

織田　あの時も日本人四人が拘束されたでしょう。

櫻井　スパイ容疑でしたね。人質としてとられたのは明らかです。

織田　日本にその覚悟があるのですか。勇ましいことを言うのであれば、まず覚悟を持たなければなりません。

　もっと賢明なやり方で実効支配を国際的に強調する方法も実はあるのです。それは久場島と大正島を使って日米共同訓練を実施することです。久場島と大正島は現在でも米軍専用の射爆撃訓練施設として登録されています。

櫻井　尖閣諸島は八つの島と岩礁からなりますが、この久場島と大正島に米軍の施設はまだ残っていますか。

織田　そうです。地位協定上、今なお米軍専用の射爆撃訓練施設なのです。沖縄にＦ15が換装される前はＦ４が駐留していました。Ｆ４のミッションは対地攻撃ミッションでしたので、久場島、大正島を射爆撃場として使っていたのです。空対空専門のＦ15に変わってからは使っていませんが、日本が地位協定で射爆撃訓練場として米軍に提供している事実は変わらない。それはまさに日本に主権があるということですね。今もなおそれが残っているのです。ですから、それを日米合同委員会で「日米共同使用」に改定し、航空自衛隊と共同訓練を実施すればいい。三沢基地に駐留する米軍Ｆ16部隊は空対地ミッションを持っていますので、米空軍はのってくると思います。問題はホワイトハウスがどう判断するかです。米国政府との交渉を進めるべきです。

櫻井　佐藤さん、いかがですか。織田さんが久場島と大正島のアメリカ軍の射爆場が残っているのだから、これを日米で一緒に使えばいいと。この可能性は？

「ある国にしっかりわかるように」

佐藤　それは今回、当然、自民党国防議連でまとめた「尖閣諸島の更なる有効支配強化のための提言」の中に入れ込んでいるのです。それに限らず、尖閣諸島周辺で日米共同訓練をすべきだと我々はずっと言っていたところ、実は一〇月にこれを議論した会議の中で防衛省の方からこういう回答があったのです。「東シナ海で、ある国にしっかりわかるようにやっています」と。

櫻井　中国にわかるように、すでにやっている、と。

佐藤　実は今回、海上自衛隊と米海軍、航空自衛隊と米空軍が、本当に中国に分かるように、尖閣周辺域でやっているのです。

櫻井　合同訓練をしていた。

佐藤　それはまさにトランプ政権だからなのです。トランプ政権になってポンペオ国務長官が盛んに、いま中国に領有権の主張が侵害されている全ての国にアメリカは支援をする、と言った結果として、次のようなことがありました。

今年（二〇二〇年）の八月からシュナイダー在日米軍司令官が、尖閣における停泊を一緒にやってもいいと述べました。また、シュナイダー在日米軍司令官は、一一月に終わった日米共同統合演習（実動演習）「キーン・ソード」においても、尖閣へのオスプレイ等の展開について、こういう能力があるよ、と述べた。いままではそんなことを言いませんでしたが、トランプ政権の後半になって、グッときた。

やはり日米共同の動きを見せないといけない。実は海上保安庁とアメリカのコーストガードも、警察なので共同訓練をしても権限が違うため本当は意味ないのですが、技能の向上という形で訓練も始まりました。

櫻井　訓練は尖閣の辺りでですか。

佐藤　尖閣ではないですが、いままでしていなかったことをするようになった。今後も強化します。我々も警察力の中でそういうものを求めていたりします。いまの海上保安庁の巡視船の中には、何かあったらすぐに対応できるように沖縄県警の警察官、あるいは入国管理局の職員も乗船しているのです。二〇年四月から沖縄県警の中に特殊部隊の国境警備隊を作って、ライフル、小銃も整備しようと、逐次やってはいるのです。が、先ほども述べたように、それ以上に向こうのスピードが速い。負けてはいられないですが、やれることをやるために、我々はどんどん政府の背中を押さないといけません。どうしても「平穏かつ安定的に維持する」という菅直人内閣の時の閣議決定が牛耳ってしまう。これを打ち消さないといけない。

櫻井　民主党の菅直人氏が総理大臣だった時には、尖閣の海で海上自衛隊は余計なことをするな、中国の視界に入らないところにまで下がっていろ、という指令が出ていました。つまり、海保の背後には海自の艦が一隻控えている。海警の背後には中国人民解放軍海軍の艦が二隻控えている。双方共、何か事が起これば自陣営の船を守るために動く。しかし菅直人氏は海自に対してずっと遠くに後退しろと指示を出していたわけです。安倍政権になって海自は中国の視界に入るところにいろ、と逆転させました。

いまは日米の様々なレベルの合同訓練を中国に分かるようにやっている。その結果でしょうか。例えば今年（二〇二〇年）、例年なら中国が東シナ海での漁船操業を解禁する八月になっても中国漁船は来ませんでした。その代わり中国漁船は日本海の方に行った。ここに関連性はありますか。

佐藤 アメリカと中国が喧嘩をしていますから、そういう時は中国は日本に優しいのです。そういう面で、ある程度抑えたという部分もあるのでしょう。ただ、間違いなく八月に漁船が来る前にシュナイダー在日米軍司令官がそれを想定して、日米で監視活動を行ってもいいと述べたことも一つ、抑止力になったと思います。

ハレーションを覚悟する時

櫻井 織田さん、いかがですか？

織田 世論戦を張らないといけないですね。中国は世論戦を行っているのです。つまり、実効支配は我が国が取ったという宣伝を、例えばシンクタンク、あるいはシンポジウム、メディアなどを使って行っています。つまり日本も国際社会に訴えなくてはいけないのです。
自衛隊と米軍が尖閣周辺で共同訓練を行っていても、それがニュースにならないと意味がありません。中国の情報要員は、当然、情報を掴んでいるから、人民解放軍は分かるでしょうが、これは世論戦ですから世界に向かって発信しなければならない。
また日米共同訓練であると、中国もあまり日本に意地悪はしにくいというメリットもあります。つまり日本にもあまり被害がなく、目に見える形で国際世論に訴えられる方策として、久場島、大正島を使っての日米共同訓練があるのです。現在、航空自衛隊は実爆弾を投下する訓練場が国内になく、わざわざグアムまで行って米軍の射爆撃場を使って訓練している。これが国内でできるので一石二鳥にも三鳥にもなります。

櫻井　矢板さん、いかがですか。

矢板　二〇年八月に中国の漁船が尖閣周辺に来なかったのは、その時は安倍総理とトランプ大統領で中国にとって二大天敵がいたわけでとても敵わないということだった。だから大人しくしていたわけですよ。安倍時代の二〇一八年一〇月安倍訪中もそうですが、中国は全く尖閣のことを言わなかったのです。でも安倍氏が二〇年九月に辞めてから突然、一〇月に中国はオンラインで尖閣の博物館を作りました。それに対する日本の反応を見ているわけですよ。菅義偉内閣がどういう反応をするのかと見ていた。

もちろん、ちょっと抗議はしたのですが、中国は大したことはなかったと判断して、一一月に中国海警法の改正案が発表されたわけです。完全に日本の反応を見ている。また、例えば中国が香港でもの凄い人権弾圧を行っていますが、もし安倍内閣であればもっと強く出たと思うのです。でも、菅内閣はあまり強く非難しなかった。だから菅内閣は安全保障と外交はそんなに興味がない、そんなに強く出てこないのだというふうに見て、今回、王毅外相が来日し、ここまで思い切ったことをしたのだと思います。もしこのまま日本が何もしなかったら、たぶん、次が来ますよ。

中国のロジックで言うと、王毅発言は、中国が日本に対して平和的な解決方法の提案をしたけれども日本に無視されたということになる。「じゃあ、仕方がないですね」とやる。

だから私は軍事演習もそうですが、やはり政治が決意を示さなくてはいけないと思うのです。例えば、いまの岸信夫防衛大臣が尖閣視察に行くようなこと。実際に行くかどうかは別にして、このまま尖閣で不安定な状況が続くならば視察に行きますというメッセージを出す。それだけでも国際社会に対するかなりのインパクトがあると思います。実際、日本の領土である竹島に韓国の李明博大統領（当時）は行きましたし、北方領土にメドベージェフ大統領（当時）も行っているわけですよね。外国はそういうことを平気でしています。日本の政治はそういう発想が全くない。実際に行くかどうかは別にして、行きますという発信もしたことがない。

もうここまで来たら、日本はそれなりの反論を考えないと、たぶんもう一歩、中国は進んでくると思います。いまの菅内閣は恐らく強く出てこない、アメリカもトランプ氏がいなくなってバイデン政権だとやりやすいと中国は判断したのです。

バイデン大統領の現時点の四大政策があるのですが、コロナ対策、経済の回復、国内の人種差別問題、そして地球温暖化問題ですよ。中国から見れば、こんなにやりやすいアメリカ政府はない。そういう意味で、アメリカはしばらく助けてくれないかもしれないので、やはり日本は自分で自分を守らなくてはいけないと思います。

櫻井　私たちが絶対にしてはいけないことは、中国に誤解させることです。これを行っても日本は行動しない、アメリカも行動しない、だからいいんだというふうに誤解させせない。そのために、様々なメッセージを発信しないといけないし、行動も起こさないといけないのです。その辺りの自民党内の自覚、政府の自覚の程はいかがですか。

佐藤　危機感を持っています。やはりいまバイデン政権への移行期なので、中国は出方を見ているような感じがあります。バイデン政権は、オバマ政権のＤＮＡを持っている人たちがまた政権に入るわけです。アメリカの国内世論の七三％が中国に批判的で、議会も昔とは違うといっても、あるいは表向きは中国に厳しいふりをしても、やはりＤＮＡはそんなに変わりません。バイデン政権は国際協調主義としていますから、地球温暖化、ＷＨＯ、自由貿易、まさにＴＰＰを含めて、そういう所からじわじわと、米中で手を組んでくるのが非常に怖い。

だから日本が、自分の国は自分で守ることが重要です。先ほど織田閣下は「覚悟」と言いましたが、まさに中国の反発などハレーションがあっても我々は尖閣を守るのだという覚悟です。逆に言うと、ハレーションがなければ前に進まないわけです。サッチャー首相があのフォークランド紛争の時に色々議論があっても、バンバンと机を叩いて「この中に男はいないのか」と言ったという話がありますね。「領土というのは命を賭しても絶対に守らなくてはいけない、なぜならば領土は国家そのものだ」と。ああいう覚悟が本当に必要なのです。

尖閣を含めて、しっかりこの間に日本の外交安全保障をさらに強化する方向にいかないといけない。それが端的に分かるのが予算です。予算が一つ大きなメッセージになりますから、今回の第三次補正予算、来年度予算、ここでできるだけ間違ったメッセージを出さないことにいま注力をしているのですが、そんなに甘くない。いま一所懸命バトルをしている状況です。

犠牲が出ても尖閣を守るか

櫻井　中国海警法の改正、国防法の改正によって、中国の国内法上では、尖閣周辺の海上保安庁に武力攻撃をかけることは当然の任務になるわけです。こんな非常識はありません。中国が勝手に国内法を作ったり改正したりして、それを外国の海、即ち日本の海に適用する。これは完全な国際法違反です。しかし、中国は日本国に通報してくるかもしれません。今度海保の船、日本の漁船が尖閣周辺に入ったら攻撃するぞ、逮捕するぞと。我が国は当然、そんな中国の主張も行動も受け入れません。中国がもし強硬な行動に出れば、日本は日本の国土を守るために戦います。そこで血が流れ、人命が失われるかもしれないと私たちは考えなければならない。

だからいま日本政府、菅政権が決意を固めて、国民に伝えなければならないのは、たとえ犠牲者を出しても我が方は、この領土を守るということでしょう。犠牲を出すことに日本はどうしても耐えられないというのであれば、海保を引くしかない。そうしたら島は中国に取られます。それでよいはずはないのであり、現状は戦うことを前提に考えなければならないほど、厳しいということを率直に国民に説いていかなければばならない。国土を守るということ、安全保障を確かなものにするためには覚悟がいりますよと、政治家は国民に語りかける時です。

日本の政治は尖閣防衛問題をはじめ、軍に関係することについてはずっと遠慮気味で主張せずにきました。で、先日、あるところで講演会をしました。武漢ウイルスで会場には定員の半分くらいしか人を入れていませんでしたが、聴衆は約四〇〇人でした。その方々に、尖閣危機の話をして、こう尋ねてみたのです。

「皆さん、目をつぶってください。あなたの隣の人が手をあげるかどうか分からない状態にして、私の問いに答えてください。あなたは、犠牲者を出さないために海保を引く方がいいと思いますか。それとも犠牲者を出しても海保に頑張ってもらい、第一段階では日本が自力で尖閣を守る闘いをして、それを見たアメリカが助けに来てくれるのを待ちますか。後者では犠牲者が出ます。そのこともよくお考えになって、どちらか手をあげてください」

海保を引くことに手をあげた人は二人。あとの全員が踏みとどまって頑張る、そして日米だけではなくて、世界の世論に訴えると手をあげてくださった。

私は少しびっくりしました。国民の皆さんは、きちんと話せばきちんと理解できる。国民が理解できるところまで、政治家が率直に問題提起し、語りかけ、質問や疑問に答えて国民と共に国の安全保障についての合意を作り上げていくことの大切さを、感じました。

佐藤　嬉しい話です。織田閣下も私も元自衛官で現場の人間です。私はカンボジアや、あるいはシリア、イラクは隊長として行きました。そういう時には、やはり犠牲は出るかもしれません。実際に一緒に調査をした外務省の奥克彦大使は、イラクで凶弾に倒れました。そういう時に日本政府、日本国民から、途中で帰ってこいと言われるのが我々としてはやっぱり辛い。行く以上は、しっかり日本の代表として任務を完遂して無事に帰ってきたい。国民の支えがあると我々は誇りを持って頑張れる。特にカンボジアの時は弾が間近に飛んだこともありましたが、国民の声援があれば頑張れるわけです。

まさにサッチャー首相が言われたように犠牲を出してもという覚悟が、本当にこれから問われます。ましてやバイデン政権になるわけですから、そういう時に我々が尖閣をしっかり守る覚悟が必要だと思います。

占領された時代の法律

織田　私は現場の人間ですから、もっとスマートにやれると思います。海警法が改正されて、中国はこれからどんどん出てきますよ。それに対して日本の今の方針では、海保が対応するわけですが、海保が対応できなかったら海上自衛隊を出すと言っているでしょう。それは止めた方がいい。中国の思うつぼなのです。だからまず政治が、海保が頑張れるようにしてやる必要がある。中国が海警法を変えるなら、こちらも海上保安庁法を変えて海保の能力と権限を上げる。海警と海保の非対称性が大きくなると、「力の空白」が生まれる。先ほども言ったように「力の空白」が生まれれば中国は必ず出てきます。

海上保安庁法はそもそも、マッカーサー統治下の一九四八年に作っているのです。あの頃は朝鮮戦争前で、日本は本当に再軍備しないという流れだった。だから海上保安庁法には、これは再軍備ではないということを、これでもかと言わんばかりに明記している。あえて軍事行動はしないと海保法二五条に書いているのですよ。

一方で、今度の中国の海警法はグレーゾーンにおいては軍事作戦を実施すると書いています。つまり、海保のような公船に対しても強制措置を講ずる権利があると書いている。それなら、海保法も同じレベルにしなくては駄目でしょう。海保法二〇条には公船に対しては「放水」さえできないと書いてある。同じレベルまで権限を与え、能力を付与して海保にそれで頑張ってもらう。コーストガードにはコーストガードが対応しなければ駄目なのです。

海上自衛隊は国際的には明らかに「軍」です。軍は最後の手段であり、できるだけ海上自衛隊を出さないようにしなければなりません。もし海警が手に負えなくなったからといって、日本が海自を出したら、中国は「先に軍を出したのは日本だ」、「日本が悪い」とキャンペーンをはるでしょう。「世論戦」です。そうするとアメリカの議会は、やっぱり日本が悪いか、ならば日米安保第五条は適用しない、となりかねない。先ほども申しましたように安保条約は自動参戦ではありません。中国はそれを狙っているのです。

ほとんどの人は知らないと思いますが、海保法の第二条、つまり海保の任務には、「海上の安全」と「治安の確保」は明記されていますが、「領域警備」や「主権防護」の任務はありません。

櫻井　海保法第二条の内容をここで確認しておきましょう。これが議論の基本ですから、少し長いのですが、次のとおりです。

〈第二条　海上保安庁は、法令の海上における励行、海難救助、海洋汚染等の防止、海上における船舶の航行の秩序の維持、海上における犯罪の予防及び鎮圧、海上における犯人の捜査及び逮捕、海上における船舶交通に関する規制、水路、航路標識に関する事務その他海上の安全の確保に関する事務並びにこれらに附帯する事項に関する事務を行うことにより、海上の安全及び治安の確保を図ることを任務とする〉

織田 第二条に書かれているのは、海上の安全と治安の維持です。それでもあえて、第二条に書かれていない領域警備を事実上行っているのです。一九四八年の法律ですから、これは既に時代遅れで、歪な法律といっていいでしょう。だから、もっとスマートに、犠牲を出す、出さないの前にすべきことがたくさんあると思います。それを全部した上で、国を守るために犠牲が出てしまうのはある程度やむを得ないところはありますが、政治は最悪を想定して、政治ができることを全てやったのかと問いたい。私はイラク派遣航空部隊指揮官をやりました。隊員たちをイラクに送る責任者でしたから、よけいに感ずるのかもしれませんが、犠牲を出さないで尖閣を守るために、もっと政治がやるべきことがあるでしょうと思ってしまうのです。

軍服の蔡英文総統

矢板 犠牲者の話が出ましたが、私は台湾に来てから一年弱になります。その間に台湾軍の訓練事故がもう三、四回起きていて、死者が五、六人くらいになっているのですよ。事故が起きると、軍の責任者が辞めたり、国防部（防衛省に相当）が謝罪したり、蔡英文総統が家族に会いに行く。そういう映像が流れています。

なぜ事故が起きるかというと、それだけ厳しい訓練をしているのです。中国が攻めてくることを想定して、最悪の条件の中で訓練をしているので、事故は避けられないということです。数カ月経つとまた死者が出る。また、蔡英文総統が遺族に会いに行く。そこでみんな泣いたりするのですが、またしばらく経つと飛行機が落ちる。二〇二〇年一一月一七日にまたF16が落ちました。

台湾はそうして国を守る姿勢を中国に見せているわけです。台湾の軍の関係者に聞いたらこう言っていました。花火大会みたいな訓練をすれば、死者を絶対に出さないようにいくらでもできる。でもそれでは意味がない。国を守るのだ、と。

台湾は常に中国と対峙し、中国に対して「私たちは国を守るのだ」という決意を見せ続けています。そういう意味で日本はまだその前の段階で、法整備も全然できていません。いま中国が尖閣に、もし攻めてきた時に、日本はどうするのか。恐らく日本政府も含めて海上保安庁もそんなに想定して演習もしていないと思うのです。台湾のような厳しい演習でなくていいですが、中国の上陸を想定して、いくつかのパターンの演習はやはりした方がいいのではないかなと思いますね。

櫻井　蔡英文総統が軍服を着て、軍事演習を視察している写真があります。台湾の気構えを示す一葉ですね。もし日本の総理大臣が同じように軍服を着て行ったら、世論の反発、そしてメディアの批判はかなり厳しいものになるでしょうね。日本は意識の上で憲法九条第二項の枠組みに縛られているのではないか。海上保安庁もその枠組みの中にあります。

一日も早くそこから抜け出て、自分の国は自分たちで守るという根本に立ち戻らなければならないと思います。その土台の上に同盟国や、価値観を同じくする諸国がいてくれて、みんなで守り合う形が出来上がっていくわけです。日本はこの基本がまだできていない。

佐藤　やっぱり政治の責任なのですよ。

櫻井　政治だけでなくメディアの責任でもあります。事実、メディアの責任はとても大きい。

佐藤　国民の防衛意識を超える防衛力は作れない。なぜならば、防衛力を整備する、国民の安全を守るのは政治の責任です。政治を誰が選ぶのかと言えば、国民なのです。国民の意識が高ければ、そういう政治家が選ばれます。

我々は教育、あるいはマスコミを含めた発信をはじめ、国民に対してもっと問いかけないといけない。いまこういう危機的な状況だから、こういう整備をさせてください、これが必要なのですよ、と憲法改正から説明しないといけない。そこは政治の責任であり、我々としてももっともっと努力をしないといけないというふうに思います。

日本の問題は中央にある

矢板　台湾は七〇年間、常に中国が攻めてくることを想定してきています。特にここ一年間は、米台の接近に伴って中国の軍事的圧力が非常に高まっているわけです。例えば中国が斬首作戦といって、蔡英文総統だけを殺害する軍事演習を行っているのですが、それを受けて蔡英文総統は何をしたか。一九五八年にいわゆる金門島の戦いがあったわけですが、その八月二三日の慰霊祭に参加したのです。金門島は中国のアモイから十数キロしか離れていない。ミサイルが飛んでくるかもしれない場所に、蔡英文総統はわざわざ行った。それによって台湾の軍の士気が非常に高まったわけです。斬首作戦と中国は言っていますが、その危険を顧みずに、自ら前線に行った。

また、西海岸の実地演習を二回ほど取材しましたが、常に緊張感をもって対応しています。もし中国が台湾の上陸作戦を行おうとしたら、恐らく一〇倍以上の兵士で、多くの死傷者を出さなければ難しいと思います。

中国から見れば、恐らく、尖閣を攻めた方がずっとやり易いと思います。

櫻井 蔡英文総統は立派に国を守る気概を国民に示しています。とても素晴らしいことです。翻って日本の政治家はどうか。尖閣の安全保障はどうなっているか。台湾から見ると、中国は尖閣の方が奪いやすいと考えているとの指摘がありました。日本はそれだけ甘いと見られているということですか。佐藤さん、いかがですか。

佐藤 言葉を返しますが、私も台湾の軍人と交流がありますが、彼らと比べて自衛隊が劣っているとは全然思いませんし、自衛隊の訓練もしっかりやっています。台湾を見ていてかわいそうなのは、オバマ政権の台湾政策が非常に冷淡だったことです。そのために、いま中国と台湾の軍事費の格差がどのくらいに広がったか。実はいまの中国の国防費は台湾の一六倍なのです。この一〇年間でもの凄い格差になった。台湾は古いのを集めてもF16は三三〇機くらいしかない。中国は一三〇〇機くらいあるのです。

だから消耗戦をされたら台湾は非常に大変です。また海軍力、特に潜水艦に至っては古いものしかない。オバマ政権は台湾に対して八年間で四回の軍事支援、トランプ政権は四年間で一〇回支援していますが、そういうことがあるので、やはりアメリカと日本と台湾はもっと色々な連携をしないといけない。

いま台湾の西側の話が出ましたが、実は台湾の東側が弱いのですよ。花蓮や台南の方です。もし私が中国の軍人なら、東から攻めます。だから尖閣、先島が大事。台湾有事は尖閣、先島有事と一体だと。

櫻井　台湾と尖閣は文字どおり一体で考えなくてはならないということですね。台湾を守るためには尖閣も守らなくてはいけないし、尖閣を取られたら台湾も取られる。

矢板　私もまさに佐藤さんが仰る通り、自衛隊は台湾の軍よりずっと強いと思っていますし、もちろん、自衛隊の現場では戦う意志、国を守る意志は十分あると思います。ただ日本の問題は中央にあるわけです。先の話に戻りますが、要するに王毅外相との会見の時のあのような反応を見せることによって、中国に日本の方が攻めやすいという誤解を与えてしまいます。

日米台は一体。それにオーストラリアとインドも入れて、中国包囲網を作る必要があります。バイデン政権によって少し中断するかもしれませんが、日本こそがリーダーシップをとらないといけない。私は期待しています。

憲法改正は最大の抑止力

櫻井　いままで日米、日台、米台は、直接的ではなくても色々な形で助け合ってきました。バイデン政権の政策がどのようなものになるのかについて、二〇二〇年の一一月下旬の時点では見通せない部分が大きいため、断定することはできません。それでもちょっと想像してみたいと思います。バイデン政権下で日米台の協力関係はどのように変化していくと思うか。トランプ政権の路線はどこまで継承されるか。

佐藤　実態を見ないといけないと思っています。先ほど矢板さんが言われたように、バイデン政権は国内政治を当面は一所懸命しなければならない。コロナ対策、経済回復、そして人種差別問題、オバマケアの拡充、また気候変動。あの公約を全部合わせると一〇〇〇兆円必要なのです。日本のＧＤＰの二倍です。だから民主党左派を中心に、軍事費を削減しろと言っています。上院がそれにどこまで抵抗できるか分かりませんが、軍事費が削減されたら口では同盟国重視と言っても、説得力がない。二〇二一会計年度予算は削減の動きがあるようですが、これは実際にどうなるかを見なければならない。

バイデン政権の台湾に対する熱量、日本に対する熱量、対中熱量がどれだけあるかによって、先ほど述べたような在日米軍司令官の発言や実際の現場の行動が変わってくるわけです。軍事費が本当に削減されたら、中東は相当荒れます。アジアとの二正面でアメリカがしっかり実態を握るのは難しくなるかもしれない。そこを見ないといけない。だからいま日本が、いままで以上に自助努力をしなくてはいけないと私は思っています。

櫻井　その点は私も同感です。いま以上に、日本がしっかりとしないといけない。で、その具体策、つまり、菅首相は一体何をすべきだと考えますか。

佐藤　一番はやっぱり憲法ですよ。憲法が象徴的です。

櫻井　でも佐藤さん、失礼ですが、昨日（二〇二〇年一一月二六日）も私は、自民党に多少の憤りをこめてこう言ったのです。

昨日、皆さん方はようやく憲法審査会を開いたけれども、国民投票法の改正案を成立させることもできなかった。この改正案は二年半も前の二〇一八年六月に提出されていました。ところが全く審議されず、昨日、初めて実質審議が行われました。国民投票法の改正案の中身は、皆が投票しやすくなるように、駅やコンビニ、その他の商業施設でも投票できるようにするもので、現在行われている一般の選挙と同じルールにしましょうというものです。何の問題もない当たり前の内容なのに、これ一つ決められない。憲法改正に反対する愚かな立憲民主の人たちがどうしても審議に応じないという事情はあるにせよ、こんなことを与党の自民党が許してはいけない。野党の立憲民主党は論外ですが、それでも憲法審査会で自民党は過半数を取っている。審査会には、全会一致ではなく過半数の賛成で決定できるというルールがある。加えて審査会の議論には、政局を持ち込んではならないというルールもある。それなのに過半数を持っている自民党はなぜ話し合いを進めることができないのか。やる気がないのではないのか。

国民の一人としてこう問うのは当然でしょう。ですから、私は佐藤さんと同じく、菅首相には憲法改正をしてほしいと思いますが、むしろ、菅さんにも自民党にも、本当のところ、憲法改正をする気はあるのか、本気でやる気はあるのですかと問いたいのです。

佐藤　本当は憲法改正が一番、アメリカ、中国に対して、日本の覚悟を示すことができます。お金をかけずにできる一番のポイントで、周りはそれを見ています。菅首相が外交と安全保障に熱量がないというのを打ち消すリーダーシップで動かすのが一番、効果的だと思います。

櫻井　日本が憲法改正を議論し始めたら、絶大な政治的なメッセージになります。

織田　凄い抑止力になると思います。ただ、時間がかかる。では目の前の脅威に対してどう対応するのか。対応すべき法律を改正すべきでしょう。海上保安庁法、自衛隊法一つをとっても、まだまだ整備されていない。例えば対領空侵犯措置の権限規定がないことなどがその典型です。権限規定がないのが問題なら、それは改正すればいいだけの話なのです。憲法改正と同時に、これに先ず手を付けなければならない。
抑止力を高めて、戦争を起こさないことが一番大切です。それには「力の空白」を作らないこと。つまり力と意志を見せなければいけません。その力と意志は当然相手から分かる信憑性が必要なのです。その意志、国家意思とは何かというと憲法であり、法律なのです。

矢板　一つは国会でこの尖閣問題について声明を出す。二つ目は尖閣周辺で軍事演習をやる。三つ目は防衛大臣が尖閣を視察する。そういうことを実際にやりますと世界に宣言することが中国に対する大きな反論になると思います。

櫻井　政治が決断するか否か。日本国の国家意思が問われているということです。

（二〇二〇年一一月二七日放送）

第3章

「独裁中国」から逃げている

楊海英×矢板明夫×櫻井よしこ

楊海英（よう・かいえい）
一九六四年、南モンゴル・オルドス高原生まれ。静岡大学人文科学部教授。日本名・大野旭（おおの・あきら）。北京第二外国語学院大学日本語学科卒業。二〇〇〇年に日本に帰化。国立民族学博物館・総合研究大学院大学で博士課程修了。研究テーマは中国文化大革命や民族問題。第一四回司馬遼太郎賞、第一九回正論新風賞受賞。著書に『モンゴルとイスラーム的中国』（風響社）、『墓標なき草原　内モンゴルにおける文化大革命・虐殺の記録』（岩波書店）、『最後の馬賊　「帝国」の将軍・李守信』（講談社）、『独裁の中国現代史　毛沢東から習近平まで』（文春新書）、『内モンゴル紛争――危機の民族地政学』（ちくま新書）、『中国人の少数民族根絶計画』『中国人とモンゴル人』（産経ＮＦ文庫）など多数。

終身独裁

櫻井 今回は中国情勢を取り上げます。中国では二〇二〇（令和二）年五月二二日から全国人民代表大会（全人代）が開かれ、香港国家安全維持法の制定が発表されました。この法律が七月一日に施行され、香港から言論の自由も政治活動の自由も完全に奪われてしまったことは、言論テレビで、ずっと報じてきました。そしてつい昨日（二〇二〇年一〇月二九日）習近平政権は共産党の重要会議、中央委員会第5回総会、5中総会を閉幕しました。この会議は、習近平国家主席の強硬路線が明確にされた会議として記憶されると思います。アメリカをも恐れず、中国は大中華帝国の建設に向けてなりふり構わず歩み出すという習主席の決意が見てとれます。日本にとって最大の脅威である中国、そのトップである習近平主席の意図を、静岡大学教授の楊海英さん、産経新聞台北支局長の矢板明夫さんと共に読み解きます。

まず楊海英さんをご紹介しましょう。中国の内モンゴル出身です。モンゴル風にいうと南モンゴルで生まれ、その後、来日されて三〇年になります。いまは静岡大学で教鞭を執っておられ、日本国籍も取得されています。ここに文字どおり山積みにした資料があります。『モンゴル人ジェノサイドに関する基礎資料』（一三巻、風響社）です。楊海英さんが書かれたものですが、何ページくらいありますか。

楊海英

楊　一万五〇〇〇ページはあると思います。

櫻井　私は全部ではありませんが読める限り丁寧に読みました。全ての迫害弾圧が、固有名詞できちんと書かれています。場所も年月日も明記されていて圧倒的な説得力がありました。そして、中国のやり方は本当に恐ろしいと実感し、楊さんのお仕事ぶりに感動しました。まず楊さんから、昨日閉会した5中総会の印象をお伺いしたいと思います。

楊　今回の5中総会は、習近平さんがトップになってから、中国共産党もそれなりに議論してきたという今までの雰囲気が一変して、いわば「シャンシャン総会」になっています。

恐らく習近平さんは終身独裁体制に向けて布石を打ち、準備してきたと思います。毛沢東さんを真似してやっているところもあるで

櫻井よしこ

しょう。でも、毛沢東時代とちょっと違うのは、毛沢東さんの場合は意図的に、例えば香港などのルートで外国へある程度の情報をリークし、国際社会の反応を探ったわけです。でも今回それは全然ない。唯一、シンガポールからの報道を、日本のメディア各社が引用する形でした。習近平さんが党主席も兼ねるのではないかという推測的な報道ですけれども。

櫻井　習氏はいま国家主席で、党の中央軍事委員会の委員長でもあります。さらに共産党の主席を兼ねれば、オールマイティの専制独裁君主になる。

楊　そのとおりです。

櫻井　外形的には、独裁で知られた毛沢東と全く同じ地位を得るということですか。

矢板明夫

楊　そうですね。毛沢東さんより、さらに彼が〝偉い〟のは、博士号を持っているのですよ。どういう〝博士〟かは、また後で時間があれば、人物像としてエピソードを紹介させていただきますけれども。習近平博士は、党主席、国家主席等々を兼ねて、一党独裁体制の上での終身独裁という指導者を目指して、着々といま計画を進めていると思います。

櫻井　矢板さん、今回の5中総会の一番の重要点はどこにありますか。

矢板　いままさに、世界で一番、二番の大国であるアメリカと中国において、権力の再編が同時に行われていて、アメリカは大統領選挙という表で激しく闘っているのですが、中国は水面下で静かにやっているのです。でもその激しさはアメリカと同じくらいだと思います。今回の5中総会の前、ものすごく噂が飛び交った。

中国共産党は、五年に一度の党大会と党大会の間に七回、中央総会が行われるのですが、5中総会はその五回目。だいたい人事を伴うことが多く、いままでは5中総会で重要な人事を行ってきました。

例えばかつて鄧小平の完全引退が決まったのも5中総会でした。今回も事前の噂では、ものすごく人事の話が出たわけです。例えば、習近平氏のいわゆる側近たちがどんどん中央入りするとか、先ほど楊先生が仰った習近平氏自身の人事。いま習近平氏は共産党の総書記ですが、毛沢東時代の後に廃止された「党主席」を復活させて、習近平氏がそのポストに就くという話がすごく出ていた。私は北京に一〇年いたから分かるのですが、これは政権側のリークなのです。記者側が勝手に自分の想像では書かない。誰かに教えてもらって、複数のメディアが一緒に書くわけですね。

櫻井　リークした目的は何ですか？

矢板　世論を作ることです。持っていきたい方向に沿うような情報を流す。ただし、蓋を開けてみれば何もなかった。何もなかったというのは、できなかったのだと思います。中国では六八歳で引退することになっているので、本来であれば二〇二二年の党大会で彼は引退しなければいけない。でも習近平氏は終身制を願っているわけですから、三期目も四期目も目指したい。

これはものすごく大きなことなのですよ。改革開放以降は、そういう指導者はいませんでした。江沢民も胡錦濤も、みんな年齢が来たら辞めているわけです。

習近平氏が続投したいというのは、鄧小平以降のルールを変えたいということです。そのために今回の5中総会、次の6中総会、7中総会と三回の会議が残されていた。そこで少しずつ進めなくてはいけないのですよ。党の規約を変えたり、自分の子分たちを中央入りさせたり、そういうことをしなくてはいけなかったのに、これができなかったと私は考えます。

櫻井　できなかった理由は党内に習近平に対抗する勢力が存在するからですか。

毛沢東路線か、鄧小平路線か

矢板　党内の抵抗がまだ強く、習近平終身続投のレールを敷くことができなかったのです。今回の党大会の前に、普段はあまり出てこない王岐山(おうきざん)国家副主席が会議で、習近平政権の金融政策と外交政策を批判するスピーチを行いました。それから九二歳の朱鎔基(しゅようき)氏の写真がメディアに登場したりもしました。この人たちは独裁反対だと言われているので、これは「習近平の独裁」を牽制する意味があるのです。

では今回、何ができたか。普段、中国では五カ年計画で五年ずつ今後のことを決めていくのですが、今回の5中総会の最後に出てきたコミュニケ（声明）の中には、今後一五年間ですべきことが書いてあるわけです。「二〇三五年までの長期目標」、つまり一五年間の長期目標という言い方をしている。でも、これは非常に中途半端です。建国一〇〇年になる二〇四九年までの目標を掲げるならわかりますが、一五年先の二〇三五年では意味がよくわからない。

でも考えてみれば、習近平氏は今年六七歳なので、一五年足すと八二歳になる。毛沢東は八二歳で亡くなっているのです。

櫻井　毛沢東に並びたいという意味が込められているのですね。

矢板　習近平氏は毛沢東を非常に尊敬しているわけですから、少なくともあと一五年間はやりたいというメッセージでしょう。

櫻井　少なくとも毛沢東と同じ歳までやるという意思表示と見てよいですか。

矢板　そうです。今回の5中総会では、そういうメッセージを込めてコミュニケを書いたわけですね。ただ、それしか書いていないので、いくらでも解釈できるわけです。習近平派から見れば一歩前進とも言えるし、反対派から見れば何もさせなかったということもできると考えています。

櫻井　鄧小平は独裁体制に陥らないように、改革開放で集団指導体制に入りました。今回、習氏は集団指導体制も改革開放路線も終わらせようとしていると見ていいですか。

矢板　中国はずっと毛沢東路線と鄧小平路線のどちらかでやってきました。もっと簡単に言えば、反米路線と親米路線です。習近平氏で言えば、彼は元々、鄧小平の後継者である胡錦濤の後を継いだわけですが、でも本人は毛沢東路線の方がいいと、少しずつ中国を毛沢東路線に戻しているわけです。

ただ、毛沢東路線だと、中国は経済が駄目になっていきます。だから時々また鄧小平路線に戻ったり、また毛沢東路線へというふうに、常に行ったり来たりします。今回は、この5中総会の前に、まさにそういうことが起きていました。

習近平氏はまず今年（二〇二〇年）一〇月中旬、改革開放四〇周年の記念イベントに参加するために広東省の深圳に行きました。深圳市内に鄧小平の銅像があるのですが、まるで鄧小平路線を継承すると宣言をしたかのように、習近平氏はそこに献花したのです。

ところが元々、習近平氏は一七日か一八日頃まで深圳にいる予定だったのですが、一四日辺りに突然、北京に戻ってきて、今度は朝鮮戦争、つまり反米路線を記念するイベントに参加し、毛沢東の言葉を引用したりした。一週間以内に鄧小平路線と毛沢東路線、両方を行ったわけです。

櫻井 習近平氏自身が決めかねている。大変混乱しているということですか。親米か反米か、改革か旧態保守かは、正反対の路線でしょう。

楊 常に矛盾しているのですよ。

例えば今年はコロナの真っ最中ですが、中国に照準を合わせて振り返ってみると、いまだに明らかになっていないことがあります。例えば、夏の八月に毎年開かれてきた北戴河会議という人事や秋の5中総会の日程を詰める会議が、結局は開かれたのか開かれていないのか、いろいろな情報がありますが、よくわからない。その後は、「改革開放」路線四〇周年と称して深圳に行ったかと思えば、戻ってきて「抗米援朝」戦争の毛沢東路線を大々的に強調するわけですよね。

今回の5中総会でもそうですが、成果があったかのように見せているものの具体的な数値目標は何も示されていない。

日本のメディアも、恐らく中国のメディアも、中国経済は完全に立ち直ったと宣言しているのですが、そうではないのです。例えば我々が向こうに電話をして状況を調べたら、次のようなことがわかります。中小企業の倒産が非常に多い、大手国営企業の改革もほとんど進んでいない、一方で失業者は非常に多い、不動産の価格が落ちている。こういう状況からすると、とても具体的な数値目標を出せる時期ではない。コロナがいつまで続くか彼らもわからないし、アメリカからいろいろな分野で制裁も受けていて、数値目標を出せる状況ではないのです。

と同時に、中国はいまアメリカとも全面的な対立で、いわば四面楚歌の状況なのですが、本人はたぶんそれをわかっていないのだと思うのです。そういう博士です。

櫻井 ああ、そういう博士。不明博士。分かっていない博士。

楊 自分の国の状況をわかっていないと思います。

一週間で政策大転換

櫻井 中国は親米路線から反米路線へ、まさに一八〇度の転換を極めて短期間にやってしまっているということですが、矢板さん、もう少し詳しく説明してください。

矢板 習近平氏が突然、深圳から北京に戻ってきた原因がよく分からなかったのですが、私がいろいろ聞いて、たぶんそうだろうなというのが一つあります。つまり彼が戻ってきた日は、アメリカのジョー・バイデン候補（編集注／二〇二一年一月二〇日、大統領に就任）の息子、ハンター・バイデン氏のいわゆる不祥事がアメリカのメディアに出る直前だったのです。ハンター・バイデン氏は、ずっと中国と商売をしていて、その商売相手は中国軍の企業であったり、情報機関の関連企業だったりする。その彼が中国に行った時に、中国の情報機関にビデオを撮られてしまっているのではないか。バイデン氏が大統領に当選した後に、中国がこれをネタに取り引きしようと考えていたのだろうと言われています。

櫻井　バイデン氏が大統領になった場合には、息子ハンター氏のビデオを見せて、悪く言えば脅すという戦略が中国側にあったということですか。

矢板　どうもそういうことを考えていたようですが、ただ、それがメディアに出てしまった。出た瞬間に、もうカードとしては使えなくなるのです。使えなくなるだけではなく、万が一、バイデン氏が当選したとしても、中国に対する態度がかなり頑なになるのは想像できますよね。中国が、自分の息子をはめたわけですから。

そういうことで、トランプ氏が当選しても、バイデン氏が当選しても、もうアメリカと仲良くすることができなくなるという、中国にとっては最大のピンチが来たわけですよ。たぶん習近平主席は元々は深圳にいて、世論調査ではバイデン氏が大きくリードしているわけですから、バイデン当選を想定して、アメリカと関係修復に乗り出すことを考えていた。だから改革開放路線で考えていたら、どうもこの話、うまく行かないとなった。

習近平氏が一〇月一四日に北京に戻ってきて、一六日から二三日までの約一週間の間に、中国共産党は政治局常務委員会の会議を四回も行っているのです。

楊　異様ですね。

矢板　政治局常務委員会は普段は週に一回です。週に一回で十分ですが、その間は週に四回行っているのです。恐らく対米政策をいろいろ議論したのでしょう。そして今回の、いわゆる5中総会に出てきた経済政策の中に、かなり内循環、いわゆるアメリカや国際社会に依存しない経済をやらなければいけないと打ち出しているわけです。

逆に言うと、もうアメリカとの関係修復は当分ない。アメリカと国際社会との関係修復も難しい。だからもう自力更生、毛沢東時代に戻って、自分でやるのだという、恐らくそういう方針を打ち出した。それが一連の流れではないかと考えています。

内需主導は上手く行かない

櫻井　アメリカと決定的に敵対的関係に陥りかねない、そのために習氏は一週間で路線変更して、米国抜きの経済圏を作ろうとさえしている。5中総会の声明のポイントをいくつか挙げてみましょう。

・外需依存から内需主導型への移行
・第一四次五カ年計画に具体的な数値目標はなし
・二〇三五年までの長期目標を設定
・人事の発表はなし

この中の一つが「双循環」、つまり外需依存から内需主導型に移行して中国経済を支えていくという大転換です。

私たちがよく聞く言葉に「デカップリング」があります。中国経済と我々の経済を切り離す。なるべく私たちの陣営だけでサプライチェーンも完成させ、中国に頼らない。中国は中国で勝手にやりなさいというのが「デカップリング」です。他方中国も双循環を打ち出した。これは前述したように中国はアメリカや日本に頼るのでなく中国国内の需要を拡大して自分たちの側からデカップリングを実現したい。アメリカや日本に切られてのデカップリングではなく、中国主導で切り離すという決意でしょう。この中国の内需主導型の経済は、上手く行くと思いますか。

楊　上手く行かせたいでしょうが、当然、上手くは行かないと思います。原因はいくつかあります。一つは二〇二一年は実は中国共産党創立一〇〇周年で、当然、それを大々的に祝う必要があるということです。先ほど矢板さんが指摘されたように、本当は習近平氏は二〇四九年という自分の終身性が大事なのに、彼はそれをいまあまり言わなくなっています。共産党創立一〇〇周年も現段階ではあまり言っていませんが、本当は中国共産党が人民を解放して人民を幸せに導いたというドラマの中で、紙に「画の餅」を描いて人民に幸福感を与えなければならない。

でも、いまはちょうど一昔前の「抗日戦争」の別バージョン、「抗米戦争」の物語を国民に語って聞かせている。

櫻井 いま、すごいそうですね。中国国内では朝鮮戦争の時のヒーローの物語が映画やドラマで喧伝されていると聞きました。

楊 そうです。あとは「自力更生」という言葉も使っています。これも実は朝鮮戦争の時の話です。「自力更生」と彼らが言っているということは、要するにアメリカ、あるいは日本との経済の分離は、上手く行っていないということなのですよ。

いままでなら、人民に幸せをもたらすために必要な条件があったわけです。それは、日本とアメリカの先端的な技術をもらう。つまり盗んでくる。そして国内でたくさんの合弁企業を作って、安い労働力を提供して、その外国の技術で作った製品を一部国内に回すという、それこそ内部循環だったのですよ。それで人民が外国の物はいいのだ、我が国も作れるようになったのだと、こう、幸せを噛みしめたわけです。

櫻井 盗んだ技術による幸せ、汚れた幸せということになりますね。

楊 習近平博士の国ならではの話ですけれども。

いまそれができなくなっているのです。外国企業は撤退し、技術の提供もいま滞っています。そうすると、我が国だけの技術ということになる。習近平博士が言う自分のところの技術だけでは回らないですよ。

中国の企業だけで国民に就職、製品の提供や、あるいはインフラ整備ができるかというと、できないのです。なぜできないのかというと、大手企業はほとんど共産党の幹部たちが牛耳っているので、既得権益者が経営しているわけです。彼らは人民の幸せ、人民の利益よりも自分のことを考えるので、国の予算で等しくインフラ整備に充てるということをしない。では中小企業はどうか。正常に機能していれば中小企業が役割を果たすのですが、中小企業は大手とつながっていてそれができなくなっているのです。しかも、夏に一瞬でしたが李克強首相が、蚤の市みたいな自由市場を。

櫻井 「露店経済」ですね。

楊 そうそう。露店を少しやりましょうといったら、即、都市景観を損なうということで、否定されてしまったわけです。ですから習近平国家主席の頭の中に、国内の経済を立て直し経済力を充実させた上でアメリカと闘おうという、そういう現実路線がそもそもないのです。彼はスローガンだけは上手いのですが、内実の伴った政策は恐らく考えていないというか、考えられないのです。

櫻井　いま楊さんが、習近平氏はスローガンは上手いけれども、実際の政策は考えられないと仰いましたが、考えてみたら毛沢東もそういう人でした。大躍進だとか、文化大革命だとかいうけれども、彼の経済政策はことごとく失敗して、何千万人もの人が飢えで亡くなったわけです。矢板さんも、この内需拡大で中国はやれるという旗を掲げた習近平氏の政策は成功しないと思いますか。

矢板　当然ですよ。いわゆる精神論で問題を解決しようとしていますから。古今東西、そういう指導者はたくさんいます。北朝鮮の金一族もみんなそうで、常に精神論でやろうとするけれども、結局、精神論だけでは何の技術開発もできないわけです。

中国は常に民族問題を利用する

櫻井　いままで習近平氏は、政敵、自分のライバルになりそうな人に対して、苛烈な刑罰を加えてきました。失脚させて、全財産を没収して、一〇年、二〇年と刑務所にぶち込んでしまう。「チャイナ・セブン」（政治局常務委員の七人）と言われる中国の最高指導部の中で、いま習近平氏が目障りだと思っている人にも同じように粛清を行うのでしょうか。

楊 現時点で恐らく習近平さんが狙っているのは、実は胡春華(こしゅんか)さん(国務院副総理)なのですよ。

櫻井 そうなのですか。胡春華さんは共産主義青年団(共青団)のエースですね。

楊 胡春華さんという共青団、いわば胡錦濤系統の人たち。この人たちの中から次世代の指導者が出てくる可能性があるのですが、それをいま事前に抑え込もうという動きがあるわけです。

それにちょうどいい題材があって、二〇二〇年六月末から九月にかけて私の故郷、内モンゴルで民族問題が発生しました。モンゴル語教育を中止して、中国語で教育しようというものです。それでいま内モンゴルは香港と同じように弾圧されているのですが、あたかもその後片付けのように、内モンゴルで中間階級の幹部たちが粛清されているわけです。全然、高官ではない人たちがやられている。その中間層の幹部たちというのは、実は何らかの形で胡春華氏とつながっているのです。

胡春華氏は以前、内モンゴルで共産党の書記を務めていたことがあるので、彼の昔の部下を片付けることによって、ご主人の名誉を傷つけるという、そういう手法を取っているのではないか。外堀から埋めるという粛清をすでに始めていると思います。それを利用しながら胡春華氏を陥れるようなことも同時進行で進めている。

櫻井　内モンゴルではモンゴル人に対しての大変な弾圧がいまも続いている。

楊　そうなのです。漢民族は民族問題を常に利用する。中国では全てが北京の党中央にルートがつながっているので、何があっても、誰かを片付ける、粛清する。あるいは政策転換の道具に使われるというのがよくあることです。いま、まさにそれが行われています。粛清は遅かれ早かれ来ると思っていたのですが、こんな形で来るとは。

矢板　やはり彼の終身独裁を最優先したやり方だと思います。

櫻井　内モンゴルの官僚の失脚が、最近、集中的にあるのですが、この人たちは、よく見たら全部、司法関係者なのです。

矢板　そうなのです。失脚した内モンゴル自治区の司法関係者（二〇二〇年）は次のとおりです。

六月二二日　内モンゴル監獄管理局長　徐宏光
一〇月二四日　元内モンゴル薬物更生施設管理局長　段和平
一〇月二七日　内モンゴル応急管理局長　王俊峰
一〇月二七日　内モンゴル司法局長　徐呼和

矢板 失脚したのは、刑務所、薬物依存者を更生させる施設の担当者や司法局長です。これは、実は人民を弾圧する人たちなのですよ。この人たちは、当然、悪いこともたくさんする。最近、この少数民族の弾圧では、一つは刑務所に入れる、もう一つは新疆のように再教育キャンプと称する集中施設に入れることが行われています。もっと酷いのは、薬物を打って薬物に依存させて更生施設に入れる。

櫻井 麻薬中毒患者に仕上げてしまう。

矢板 その更生施設に入れたら、外に出られないわけです。また、精神科病院に入れるなど、そういったことを行っているのです。

まさにその少数民族弾圧の担当者たちがいまみんな急に失脚したので、この人たちは中国共産党の指示通り弾圧をしなかったのか。あるいは何か事情があるのだろうと考えます。

あるいは、胡春華氏は内モンゴルのトップだったわけですから、彼ら担当者たちを逮捕して、胡春華氏の悪事を白状させると、そういうことではないかとも思います。つまり権力抗争の一環ということもあります。

もう一つは、やはりこの少数民族地域に対して高圧的な態度を取るのは、一般の中国の民衆の中で、実は残念なことに非常に受けがいいのです。漢民族は「中華民族の偉大なる復興」というスローガンを掲げ、少数民族は中華民族ではないというような発想があるわけです。まず、少数民族を漢民族化することによって、政権に求心力が高まるという、非常に皮肉な状況になってきているのです。

民族浄化と強盗

櫻井　楊海英さんは、元々モンゴルのご出身で、ご家族も友人もモンゴルにたくさんいらっしゃいます。いまの習近平政権がモンゴルや、チベット、ウイグルを弾圧し、漢民族という中華民族を中心に考えている現状についてどう思われますか。

楊　完全に文化大革命時代の、あの毛沢東当時の統治手法に戻っています。私が出したこの一三冊、一万五〇〇〇ページに上るモンゴル人ジェノサイドの資料は、文化大革命中に真のジェノサイドが行われたことを表しています。中国政府の公式データでは、三四万人が逮捕されて、一二万人が怪我を負わされ、二万七九〇〇人が殺されたとなっています。これは中国の公式見解で、実際のデータはもっとそれより凄惨なはずです。

例えば二〇二〇年の秋から、言語の問題がクローズアップされていて、モンゴル人がモンゴル語を話す、ウイグル人がウイグル語を話すのはけしからん、全部、中国語にしなさいとなっています。

実は文化大革命中に、モンゴル語で話すのをやめなさい、中国語にしなさいという命令が出されている。この資料集の中にもあります。しかし、文革の後に一度、中国政府はそれを間違った政策だったと否定しているのです。

ところがいま、その間違った政策を習近平氏が再び行おうとしている。すでに行っているのです。ウイグル人のウイグル語教育はもう二年前からほぼストップ状態で、モンゴル人のモンゴル語による教育も、二〇二〇年の秋から大幅に減らされ、中国語一辺倒になりました。

中国の一般の漢民族の人たちにはやはり、なぜモンゴル人がモンゴル語を話すのか、チベット人、ウイグル人はどうしてそれぞれの言葉で話すのか、早く中国語に同化しなさいという発想、いわゆる「中華思想」があるわけで、この政策は非常に国民に受けがいい。その受けがいいのを、たぶん習近平氏はわかっている。「民族主義」は、漢民族だけの民族主義です。漢民族の民族主義を高揚させて中国を統治しようと、そういう〝素朴な手法〟でいまやっているわけですね。

櫻井　漢民族中心のこのような民族主義は、他の民族から見るととんでもない。漢民族は他の民族を認めない。他の民族は自分たちと同じようにならなければいけない。自分たちと同じでない人は排除する、もしくは同化させてしまうという発想は受け入れられません。

中国語の表現の中に「砂を混ぜる」という言葉があるそうですね。少数民族の地域に、三倍、四倍、一〇倍の漢民族を送り込んで、全部そこを取ってしまう。事実上、民族浄化が起きている。

こういう中国共産党支配の国が、日本のすぐ隣にいて、モンゴル人もその中に入れられているわけです。これは本当に人類の不幸です。この人類の不幸を生み出す中国共産党が今回の５中総会で、中国国防法改正草案（編集注／改正国防法は二〇年一二月二六日可決、二一年一月一日施行）を出しました。

【中国国防法改正草案のポイント】

1　宇宙、電磁波、サイバーは防衛領域である
2　中国の発展の利益が脅かされた場合、全国総動員または一部の動員を行う
3　国家の海外での利益を守る

背筋の寒くなるような怖い法律ではありませんか。

矢板 この国防法改正の前提としては、先ほど述べたように、実は中国が海外に依存せずに自分でやるというのは、絶対に上手くいかないということがあります。その理由は、中国は資源が足りない。まず石油が足りない。もう一つは、基本的に技術が足りない。例えばいま、携帯電話にしても、パソコン、ロケットにしても、みんなＩＣチップが必要です。それはいろんな国、特にアメリカや日本が特許をたくさん持っているわけです。だから一から作ることができない。それを売ってくれないと、中国の企業だけでは、何もできないわけです。いまアメリカがサプライチェーンを見直しているのは、トランプ政権がそれを中国に供給しないようにし始めているのです。

そして中国の新しい国防法の中には、中国の利益を損なう場合は、戦争になる可能性があると書いてある。つまり、中国に対して石油なり、資源なり、あるいはＩＣチップなりを供給しないとなれば攻めるぞと、周りの国を脅迫しているわけです。

櫻井 強盗みたいな態度ですね。

楊 強盗ですよ。

中国国防法は海外派兵の口実

矢板 自分の国の領土が奪われる、人民が殺されるとなったら戦争をしてでも守る。

これなら分かるのですが「自国の利益に影響を与える場合は戦争をするぞ」というようなとんでもない法律です。これは、アメリカに対しては無理でも、東南アジア、場合によっては日本、韓国や台湾に対して適用できるわけですよね。

櫻井　適用させてはいけない中国自己中心の法律ですから、彼らが使えないよう、抑止する必要があります。

矢板　そうですよ。いまの世界でこんな法律を作る国はありません。

櫻井　香港に対する国家安全維持法も中国の法律ですが、これも場合によっては日本人も取り締まることができます。日本人だけでなく、全地球社会の全ての人を、中国の法律で取り締まって、逮捕して、拘留することができる内容です。すごく曖昧に解釈の余地を残しているが故に、そういうことが可能なのです。

この改正中国国防法もそうです。「中国の利益が脅かされた場合、全国総動員または一部の動員を行う」ということは、戦争をするぞということです。

楊　戦争動員法ですよ。先の「中国国防法改正草案のポイント」の2番は人民を動員して人海戦術で消耗しようということが狙いだと思います。人民の命をあまり大事にしない国柄ですから、当然、そういう発想が出てきます。

国際社会に与える深刻な影響としては、やはり先の「ポイント」の1番と3番です。

1番では宇宙が防衛領域に入っています。二〇〇七年に中国が人工衛星をミサイルで撃ち落としましたよね。宇宙という領域をどこまで自国の防衛領域とするか。これはもう死活問題なのです。中国は、例えば日本やアメリカ、他国の人工衛星を、自分の防衛領域に関わるものとして撃ち落とす可能性があります。宇宙戦争、スターウォーズがここで始まろうとしているわけで、非常なる脅威です。ものすごく貪欲な改正ポイントですね。

もう一つは3番目。海外での利益を守るというのは、要するに、海外のどこか、どういう利益かということが関わってきます。例えば、アフリカのどこか、あるいは南シナ海、東シナ海、あるいは北極。要するに、自分の利益がそこにあると解釈したら、そこへ軍隊を送り込む可能性が出てくる。それに正当性が与えられてしまうことになります。

いままではジワジワと知らないうちに「あっ、中国に取られた」という感じで、中国は巧妙にやってきたのですが、今後は力が増大してきたから正々堂々と出てこようということ。そういうビジョンを示そうとした法改正ですね。

櫻井　矢板さん、これまでとは違って中国は堂々と取りに行く、攻めに行く構えを作りました。野心を隠すことがなくなりました。台湾に対しては最も深刻な脅威ですね。

矢板　そうですね。いままさに台湾では中国軍機が毎日のように飛んできています。最近、台湾とアメリカは非常に接近しているので、それに対する中国のいわゆる不快感の表明として、台湾に対する軍事的圧力を加えてきているわけです。

先ほど楊先生が仰ったように、中国の海外の利益と言えば、いろいろな解釈ができる。例えばいま北海道では、膨大な土地を中国人が買っているわけです。それは解釈によっては海外での中国の利益です。そうすると例えば、日本の法改正でこの土地には建物を作っては駄目だとすれば、中国の海外での利益が損なわれるわけですから、極端にいうとそれは中国の海外派兵の口実になりかねない。非常に恐ろしいです。

櫻井　実はつい昨日（二〇二〇年一〇月二九日）、議員会館で講演をしました。日本と台湾、それからイギリスの方とで、香港の国家安全維持法について語ったのです。私たちが「今日の香港は明日の台湾、明日の台湾は明後日の尖閣、日本だ」というタイトルにしたら、イギリスの方がこう言いました。このタイトルはたぶん間違っている、と。どういうふうに間違っているかというと、「今日の香港は明日の尖閣、日本で、そして明後日が台湾だ」と言うのです。

つまり、台湾には多くの人が住んでいて、アメリカも力強く肩入れをしている。だから、そこに堂々と挑戦していくほどの力は、まだ中国にはないと彼らは自覚しているが、尖閣だったら取れる、日本人相手に取れる、と。だから、日本人はゆめゆめ油断などしている場合ではないという意味のことを仰ったのです。

日本人は死んだふりをしている

矢板 中国は弱い所を狙ってくるのです。例えばいまアメリカは中国の「千人計画」に対して、中国人の学者をスパイと称してたくさん逮捕していますよね。たぶん一〇〇人単位で、アメリカで中国人が逮捕されているのですが、中国国内ではアメリカ人を誰も逮捕していないのですよ。一方、日本人は一五人もスパイとして逮捕されているわけです。台湾人についても、この間、中国は台湾スパイを数百人逮捕したと発表している。

つまり、弱い所をやるのです。アメリカでは中国人が一〇〇人くらい逮捕されているのに、アメリカ人は全然逮捕しない。ちゃんと弱い所、相手を見て選んでやっているわけです。だから日本もちゃんとしないと、確かに台湾よりも先に尖閣に来てしまうかもしれない。

櫻井 私たちは中国にどう向き合うかを考えて、決めたことを実行すべきだと思います。楊海英さんは、日本に住んでおられて、日本人の、良きにつけ悪しきにつけ、優しさ、優柔不断を見ておられますね。そこにつけこむ形で中国がジワジワと我が国に浸透している。

モンゴルのためにも、アジアのためにも、中国の力による現状変更や、世界の秩序の破壊に対して正論を突きつけ抗議し、勝手にさせないように抑止する大きな責任が日本にはあると思うのです。日本人はもっと責任を感じると同時に、実は我が国には力があることを自覚して、その力に見合った責任を果たそうと考えることが大事です。

楊 日本は先の戦争の遺産を引きずり過ぎるのです。ですから、例えば武器を持つということを悪だと思っている。

櫻井 日本学術会議が、軍事に関する研究を禁じています。そういったことですね。

楊 それも、その表れの一つです。

それから、隣の人を悪く思うのも罪だという性善説。本当は性善説をたぶん信じていないのですが、日本は性善説で行きたいのですよ。これも一つの問題ですよね。恐らく先の戦争の負の遺産の一つです。

もう一つは、本来、日本人が持つべききちんとしたサムライ精神、内憂外患が来た時にきちんと対応する自己犠牲精神が実はないのです。

隣人を性善説で思う、それから武器を持ちたくないというのは、一種の逃避です。

日本人はそもそも逃げる民族ではなかったのに、先の戦争が終わってから、逃げているのです。

だから、憲法の問題も触りたくない、国難が来ても自分が先頭に立って、自分の方から対応することをしない。これはいわば一種の逃避ですよ。いまも見て見ぬふりをしている。死んだふりをしている。私は時々、意地悪な言い方をしますが。

櫻井 日本人と日本国が死んだふりをしていると言われること自体、情けないです。

楊 そうです。ですから、サムライ精神に戻って、憲法を改正して、国難が来たら、きちんと自分の力でまず対応しないといけない。尖閣にどなたかが来たら……。

櫻井 「どなたか」なんて日本語を使ってはいけないです。「中国の民兵や人民解放軍が来たら」ですね。

楊 アメリカ兵が戦ってくれるだろうという、そういう花園の中のウサギみたいな、天真爛漫な夢を見てはいけません。やはり自分で日本刀を持って、いざという時には防人に行かなければならないと私は思います。

矢板 アメリカはトランプ政権が完全に中国包囲網を築いて、先日はポンペオ氏が来日し、オーストラリアとインドの外相も日本に来ました。この四カ国で、中国包囲網を構築しようとしているのですが、そうした中で、中国は四カ国の中で日本が一番弱い国だと見て、狙ってきているわけです。

だから王毅外相は再三、日本に来たいと言っています（編集注／二〇二〇年一一月二四日から二五日に来日）。オーストラリアは中国と完全に対決していて、お互いに経済制裁をしているような状況です。インドは中印国境でもう武力衝突にまで発展している。アメリカはアメリカで、当然、中国に対峙しているわけで、日本だけが態度を曖昧にしているのです。

王毅外相が日本に来たいというのは、この四カ国の中では日本しか崩せないと思っているからです。中国は今後、恐らく日本に対していろいろな手を使ってくると思います。日中韓の首脳会談の枠組みを使うかもしれませんが、そこをやはり日本は耐えなくてはいけない。一九八九年の天安門事件の後、対中制裁を一番先に解除した日本は非常に恥ずかしい。同じことをしてはいけないと思います。

櫻井　日本人がここでしっかりしなければ、日本国だけではなく、モンゴルも、台湾も、アジア全体が不幸の輪の中に引きずり込まれてしまうと思います。日本の責任は大きいです。しかし別の言い方をすれば、日本の発言にも行動にもそれだけのインパクトがあるということです。今こそ、日本がしっかりすべき時で、日本がしっかりすればそこから生まれるプラスの力は本当に大きいということです。まさに日本人と日本国の頑張り時です。

（二〇二〇年一〇月三〇日放送）

第4章

敵基地攻撃と学術会議

小野寺五典×高橋杉雄×櫻井よしこ

小野寺五典（おのでら・いつのり）
衆議院議員、元防衛大臣。一九六〇年宮城県生まれ。東京水産大学卒、松下政経塾、東京大学大学院法学政治学研究科修了。一九九七年衆議院宮城6区補欠選挙で初当選。二〇〇〇年米国ジョンズ・ホプキンス大学高等国際問題研究所客員研究員。二〇〇七年外務副大臣（第1次安倍改造内閣）、二〇一二年防衛大臣（第2次安倍内閣）を歴任。二〇一七年再び防衛大臣（第3次安倍第3次改造内閣）に就任。

高橋杉雄（たかはし・すぎお）
防衛研究所防衛政策研究室長。一九九七年早稲田大学大学院政治学研究科修士課程修了。二〇〇六年ジョージワシントン大学大学院修士課程修了。一九九七年より防衛研究所。防衛省防衛政策局防衛政策課戦略企画室兼務などを経て、二〇二〇年より現職。核抑止論、日本の防衛政策を中心に研究。主な著書に『新たなミサイル軍拡競争と日本の防衛』（共編著、並木書房）、『「核の忘却」の終わり　核兵器復権の時代』（共編、勁草書房）、『日米同盟とは何か』（共著、中央公論新社）、『アジア太平洋の安全保障アーキテクチャー――地域安全保障の三層構造』（共著、日本評論社）など。

火薬庫の中に住んでいる

櫻井　尖閣諸島を狙う中国、拉致を反省せず、ミサイル、核で恫喝する北朝鮮。私たちは多くの危機で囲まれています。けれどそのような状況の深刻さに日本人はまだ十分には気がついていない。危機意識を持てていない。幸せすぎるのか、世の中はいつも平和が基調なのだと思っているような日本国民と日本を守るにはどうすればよいか。元防衛大臣で衆議院議員の小野寺五典さんと防衛研究所の高橋杉雄さんと共に考えます。

高橋さんは『新たなミサイル軍拡競争と日本の防衛』（共編著、並木書房）、『「核の忘却」の終わり　核兵器復権の時代』（共編、勁草書房）などのご著書があります。『「核の忘却」の終わり』では、現在は核兵器を「持つだけ」で抑止力として機能する時代ではなくなっていると指摘しています。核兵器が「使われる」ことを前提に安全保障を考えなければいけない危険な時代に入ったと仰っていますね。二冊とも非常に勉強になりました。

振りかえれば、河野太郎氏が突然、イージス・アショアを取りやめると宣言した時から、日本のミサイル防衛政策は顕著に迷走し始めました。代替策も全く考えずに、

小野寺五典

いきなり、止めたとだけ言うのですから、無責任の限りです。そうした状況を受けて安倍晋三首相が敵基地攻撃能力の保有を検討せよと指示を出したのが、二〇二〇（令和二）年六月でした。病気で九月に退陣後、日本国の国防に空白はあってはならないという思いから政府は「年末までにあるべき方策を示す」とする談話を出しました。

このような形で同件は後任の菅義偉首相に引き継がれました。

内閣が変わったところで、公明党がじんわりと反対の意見を言い出した。二〇年九月二六日の東京新聞の電子版に山口那津男代表のインタビューが載っています。山口氏は「イージス・アショアの撤回が、なぜいきなり敵基地攻撃能力の保有検討につながるのか

櫻井よしこ

国民はよく分からない」「安全保障環境が厳しくなっていることは認識しなければならないが、それは日本独自の抑止力を持つということではない」などと語っています。

では一体どうすればよいのかという点になると、山口氏はこう語っています。

「外交にもっと力を入れ、日本が多国間の対話や協調を主導し、平和な環境を整えることが優先的に取り組まなければならない課題だ」

公明党らしい非現実的な夢想家の論です。しかし、菅首相はこの種の公明党の圧力に競り負けてしまうのでしょうか。いまだに自民党総裁として、日本の首相として、国防の空白をどのように埋めるのかについて、結論を出し得ていません。非常に懸念されます。

高橋杉雄

さて、ＩＮＦ条約（中距離核戦力全廃条約）、つまり中距離ミサイルを作らないという米ロの条約が去年（二〇一九年）八月に終わりました。小野寺さん、安全保障環境はずい分変わったでしょう。

小野寺　なぜＩＮＦ条約をアメリカが破棄しようと思ったのか。まず、ロシアもいろいろな言い方をしていますが、実はロシアは条約があっても中距離ミサイルに近いものを着々と配備しているということがあります。それから一番大きな理由は、やはり中国です。

ＩＮＦ条約はアメリカとロシアの条約ですから、他の国は入っていません。中国はこれに入っていないので、どしどしとこのようなミサイルを作ってしまうわけです。そうするとＩＮＦ条約を守っている方が馬鹿を見ることになります。これがたぶん、アメリカの見方だと思います。

櫻井　ドナルド・トランプ大統領は、いま小野寺さんが指摘なさった二つのこと、ロシアの条約違反と中国の野放し状況を許容し続けることはしないとして、ＩＮＦ条約の継続を拒んだわけです。これは合理的な判断だと私は思いますが、条約廃棄の影響について、高橋さんはどう見ていますか？

高橋　まず、そのＩＮＦ条約は、非常に目的のはっきりした条約です。射程距離が五〇〇から五五〇〇キロメートルの地上発射のミサイルだけを禁止しています。ですから、アメリカが持っている艦艇から撃つトマホークは規制されていません。とにかく地上からのものだけを規制したということです。

また、元々は米ソ、その後は米ロという二カ国だけの条約です。問題は、いま小野寺大臣が指摘されたように、これは米ロだけの条約なので、その間に中国、北朝鮮、インド、パキスタン、ちょっと複雑な経緯がありますが韓国も、射程五〇〇から五五〇〇のミサイル開発、配備をしてきたということなのです。

結果、北東アジアはいま、世界で最もミサイルの密度が高い地域になっています。中国は二〇〇〇発、北朝鮮も数百発、韓国は射程五〇〇以下はかなり持っていますし、いま射程八〇〇キロの配備を始めようとしているところです。台湾も短い射程のものを持っていましたし、射程六〇〇キロの巡航ミサイルを配備しているところです。ですから、ミサイル問題というと、インド、パキスタンや、イラン、サウジなどの中東というイメージがありますが、冷静に見ると、実は北東アジアの方が密度が濃い。

小野寺 我々は、ある種、火薬庫の中に住んでいるような状態になってきていると言えます。問題は、中国が中距離ミサイルをたくさん持つと、誰が一番その脅威を受けるか、です。

櫻井 小野寺さんがお持ちになった資料「中国の弾道ミサイルの射程・保有数」を見てみましょうか（図1）。

小野寺 一〇〇〇キロの射程でも東京が入ってしまいます。三〇〇〇キロになるとグアムが入ってしまう。ですから、先ほどの中距離ミサイルの範囲で言えば、実はアメリカ本土というよりは、むしろ日本を取り巻くところが一番、射程に入ってしまう。いま高橋さんが仰ったように、それを中国は二〇〇〇発以上、北朝鮮は数百発も持っている。ということになれば、その射程に、日本はほぼ入ってしまっているということになります。そういう危機感を持たないといけない。これが、まず初めに私たちがいまの安全保障で考えるべきことだと思います。

櫻井 にもかかわらず、日本人の危機感はうすいです。高橋さん、北朝鮮のミサイル

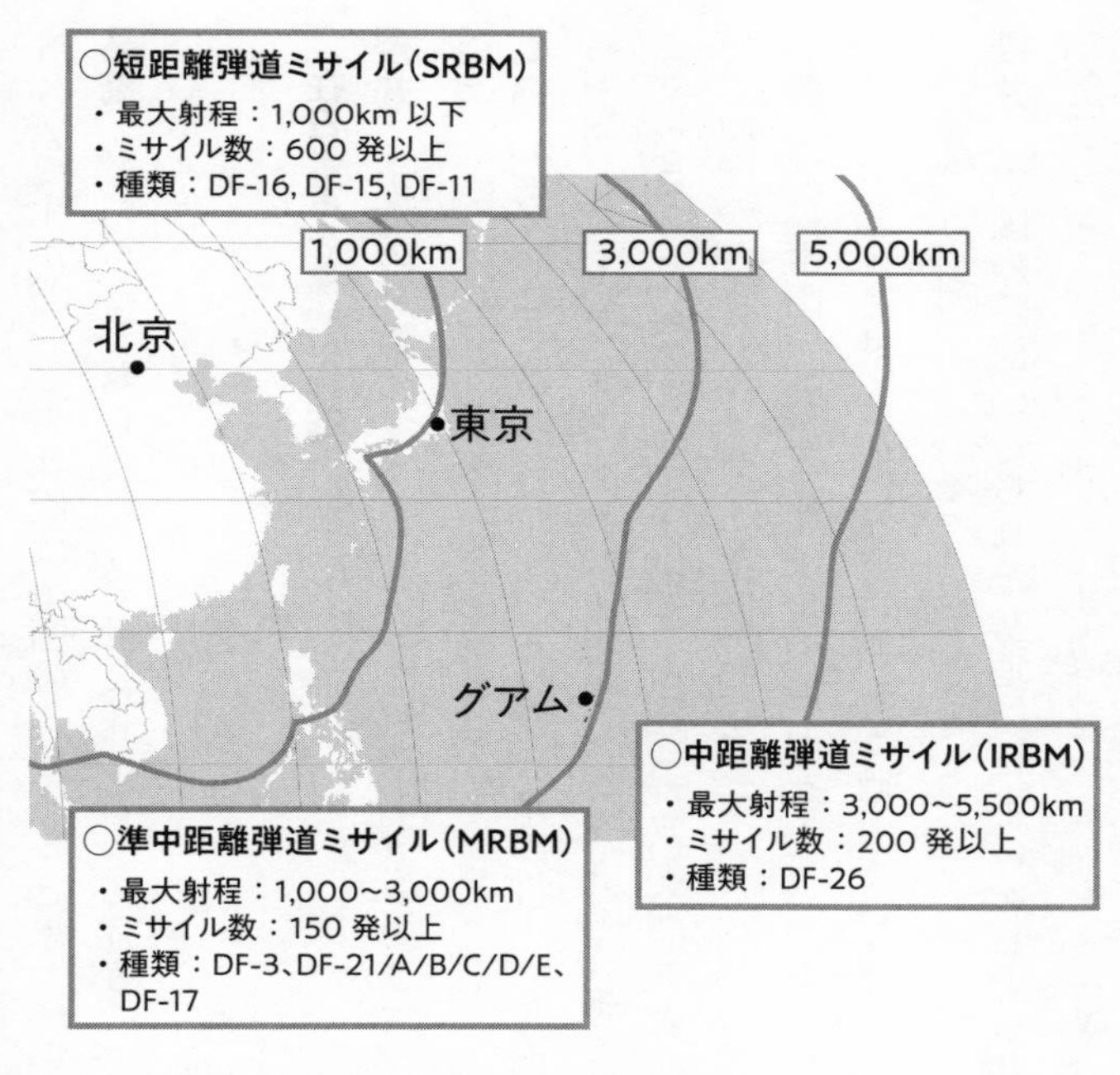

図1　中国の弾道ミサイルの射程・保有数（イメージ）
資料源：IHS Jane's online, 米国防省「中華人民共和国の軍事及び安全保障の発展に関する年次報告書（2020）」、距離は中国国境からのもの

も脅威ですが、一番の脅威は中国のミサイルと思っていいですか。

高橋　どちらがどちらというのは文脈によって違うので、両方とも怖いということになるかと思います。

在日米軍を標的に訓練

櫻井　中国の弾道ミサイルについての資料があります。高橋さん、ご説明いただけますか。

高橋　図2はここ数年、我々のような日米の抑止の専門家の間で非常に有名な論文から引用したものです。アメリカのシンクタンクである新アメリカ安全保障センター（The Center for a New American Security）にいる研究者がグーグルアースの情報を使って、中国がどういうミサイルの準備をしているのかを明らかにした論文です。

例えば「中国の弾道ミサイルの能力（1）」（図2）には、写真からは少し分かりにくいかもしれませんが、左下に円形が映っています。これが中国の本土に造られたターゲットです。

櫻井　中国内陸部に造られた基地に日本にある米軍基地を模したものがあります。「Kadena Air Base」と書いてあります。沖縄にある嘉手納基地のことでしょうね。

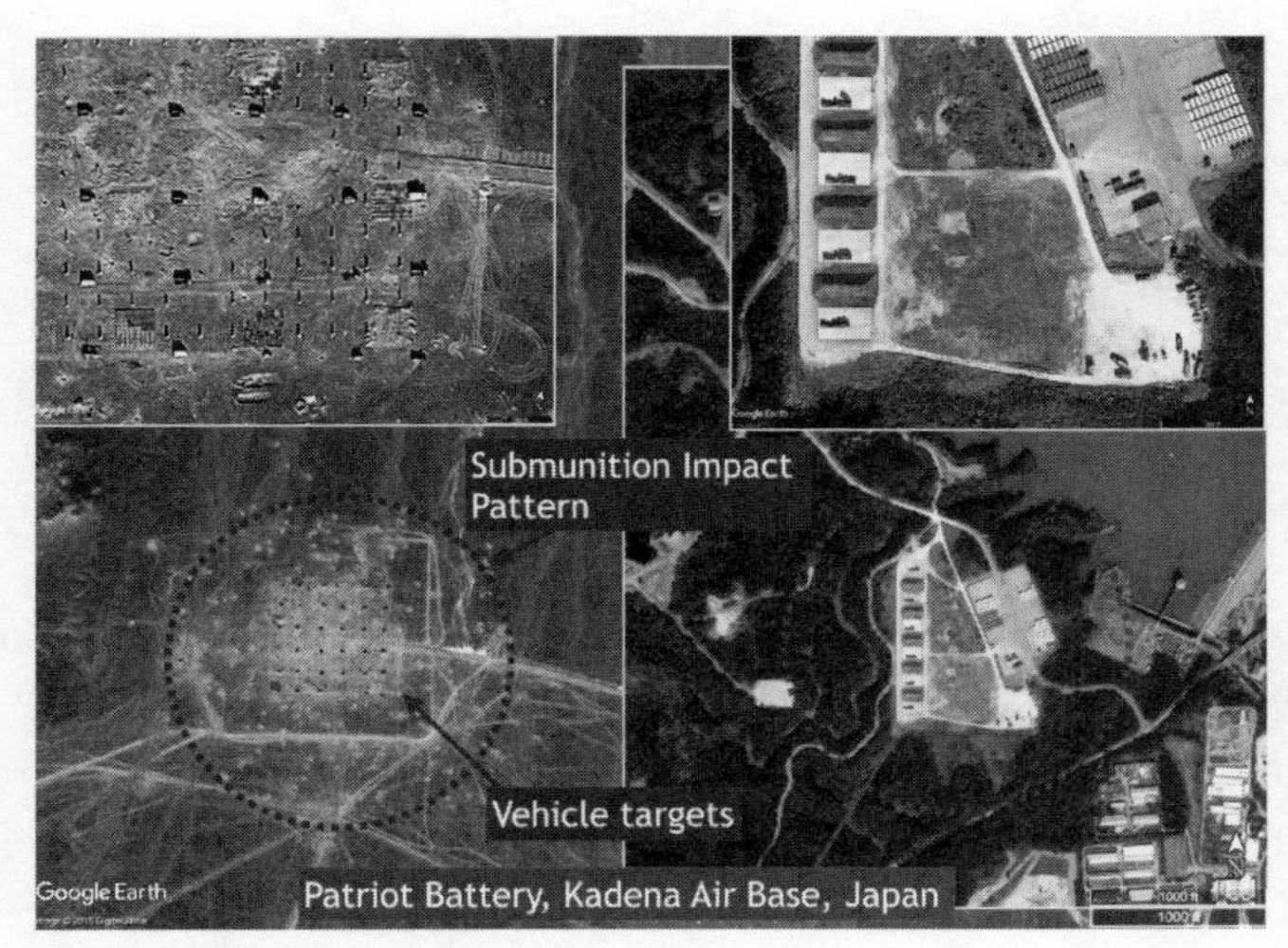

図2　中国の弾道ミサイルの能力（1）
中国の弾道ミサイルは極めて高い精度を有していること、在日米軍基地を模したターゲットを製作し、実射訓練を実施していることが判明
THOMAS SHUGART "HAS CHINA BEEN PRACTICING PREEMPTIVE MISSILE STRIKES AGAINST U.S. BASES?"（『WAR ON THE ROCKS』FEBRUARY 6, 2017）より

高橋　嘉手納に似ているのではないかと言われています。左下の映像を拡大すると、いくつかの施設と、小さなクレーターが見えます。これは恐らくクラスター弾頭を積んだミサイルを撃って、そこに落としたのだと言われています。

櫻井　つまりこれは全部、ミサイルを撃ちこんだ跡ということになりますか。

高橋　はい。このクラスター弾頭とおぼしきクレーターが散らばっている範囲を左下の丸で表示していて、この丸を同じ縮尺の嘉手納弾薬庫地区に持ってくると、ちょうどパトリオットが配備されているエリア全体をカバーしています。つまり、その範囲全体をカバーするように弾頭が落ちているというのが、この写真が語っていることです。恐らく、同じ範囲で撃てるような訓練を行ったということです。

小野寺　パトリオットというのは迎撃ミサイルですから、初めにこれで迎撃ミサイルを全部潰してしまうとその後、攻撃がしやすくなる。そういうシナリオで撃ったと考えるべきですね。

櫻井　なるほど。次の図は「中国の弾道ミサイルの能力（2）」（図3）で、これも「Kadena Air Base」と書いてある衛星写真です。中国の内陸部とはどの辺りですか。

高橋　敦煌のちょっと東側ですね。

櫻井　敦煌というと、日本ではシルクロードで有名ですが。

小野寺　ここはゴビ砂漠の中ですね。

高橋　滑走路を模したターゲットとおぼしき施設があります。全体の画像の中でV字型の銀色に光るもの。そこから伸びているものが駐機場だと思われます。

櫻井　図の中で枠を取ってその部分を拡大してありますが、この中にあるのが戦闘機ですね。

図3　中国の弾道ミサイルの能力（2）
THOMAS SHUGART "HAS CHINA BEEN PRACTICING PREEMPTIVE MISSILE STRIKES AGAINST U.S. BASES?"（『WAR ON THE ROCKS』FEBRUARY 6, 2017）より

高橋　はい。大きさとしては戦闘機と思われます。明らかに直撃して破壊しています。

櫻井　嘉手納を模した施設にある戦闘機が破壊されている。

　小野寺さん、これは最初に迎撃ミサイルを撃ち、次に戦闘機を破壊するという訓練ですね。

小野寺　これはＦ－22と書いてありますので、当然、この次はＦ－35など新しい戦闘機を配備している基地、そういった飛行機を最初に攻撃してしまおうと。それだけではなくて、滑走路に穴を空けられただけでも、もう戦闘機は飛べなくなります。そういう意味では、そのような効果を狙った訓練、あるいは実験をやっているぞと、わざわざ見せているのではないかと思います。

櫻井 戦闘機に当てているということは、彼らのミサイル攻撃はかなり精度が高いということですか。

小野寺 ということを実証したということだと思います。

横須賀のイージス艦もターゲット

櫻井 ふむ。もっと怖い写真があります。「中国の弾道ミサイルの能力（3）」（図4）ですが、これは日本の三沢の航空機基地を模したものですね。

高橋 これも同じ場所にあります。右下の三沢にあるのが、バンカーという鉄筋コンクリートで作られたミサイルに耐えるような倉庫です。この中に飛行機が入ります。そういう、ほぼ同じ大きさのターゲットがやはり中国国内にあって、よくよく見ると何かが当たってへこんだくぼみがついている。

櫻井 図4の左上のものにへこんでいる跡が見えます。三発も四発も当たっています。

高橋 恐らくそのバンカーを直撃する能力をいま中国は持っているということでしょ

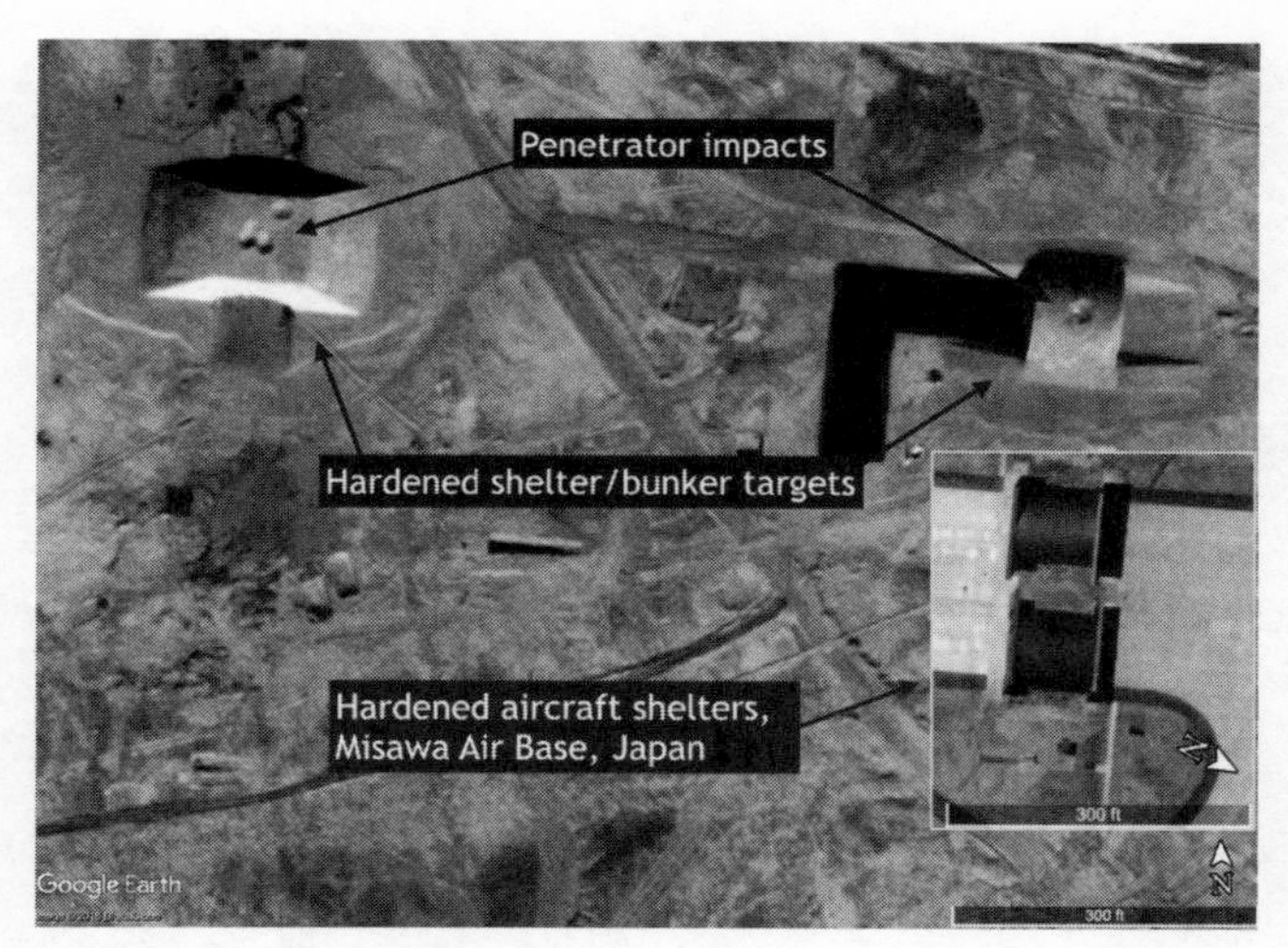

図4　中国の弾道ミサイルの能力（3）
THOMAS SHUGART "HAS CHINA BEEN PRACTICING PREEMPTIVE MISSILE STRIKES AGAINST U.S. BASES?"（『WAR ON THE ROCKS』FEBRUARY 6, 2017）より

う。バンカーというのは鉄筋コンクリートで作られていますが、基本的には近くにミサイルが落ちた時の破片から飛行機を守るのが目的で、バンカー自体を直撃された時に耐えられるものはそんなにありません。恐らく直撃を受けたら破壊されるものです。

櫻井　これは丸くへこんでいますが、破壊されてはいない。丸くへこんでいるということは、わざと力の弱いミサイルを使ったということですか。どう考えたらいいですか。

高橋　恐らく中は空洞ではな

いと思います。単純にコンクリートを積み上げて作っているのではないかと思います。

櫻井　これも小野寺さん、ものすごい示威行動ですね。

小野寺　精度がかなり、しっかり確実になっているということだと思います。この論文が出てから何年も経っていますので、能力はさらに高まっていると考えるべきではないかと思います。

櫻井　もう一つ、図5は横須賀の港を模したものですが、中国のゴビ砂漠にあります。これは何を意味するのですか。

高橋　横須賀に停泊している艦船を撃つ訓練か試験を行ったのだと思います。横須賀の形と線対称になっているので、恐らくミサイルを撃つ向きを考えて、そういう形に方位を変えているのだと思います。

大きさ的にはだいたいイージス艦の大きさになるので、普通にイージス艦がいる時に撃ったら、ということだと思います。これもよく見ると当たっていますね。このターゲットはいまはもうないのですが、よくよく拡大してみると跡は残っています。

中国が軍事訓練を見せる目的

櫻井　中国がこのようにゴビ砂漠の内陸部に、わざわざ日本の米軍基地と同じような

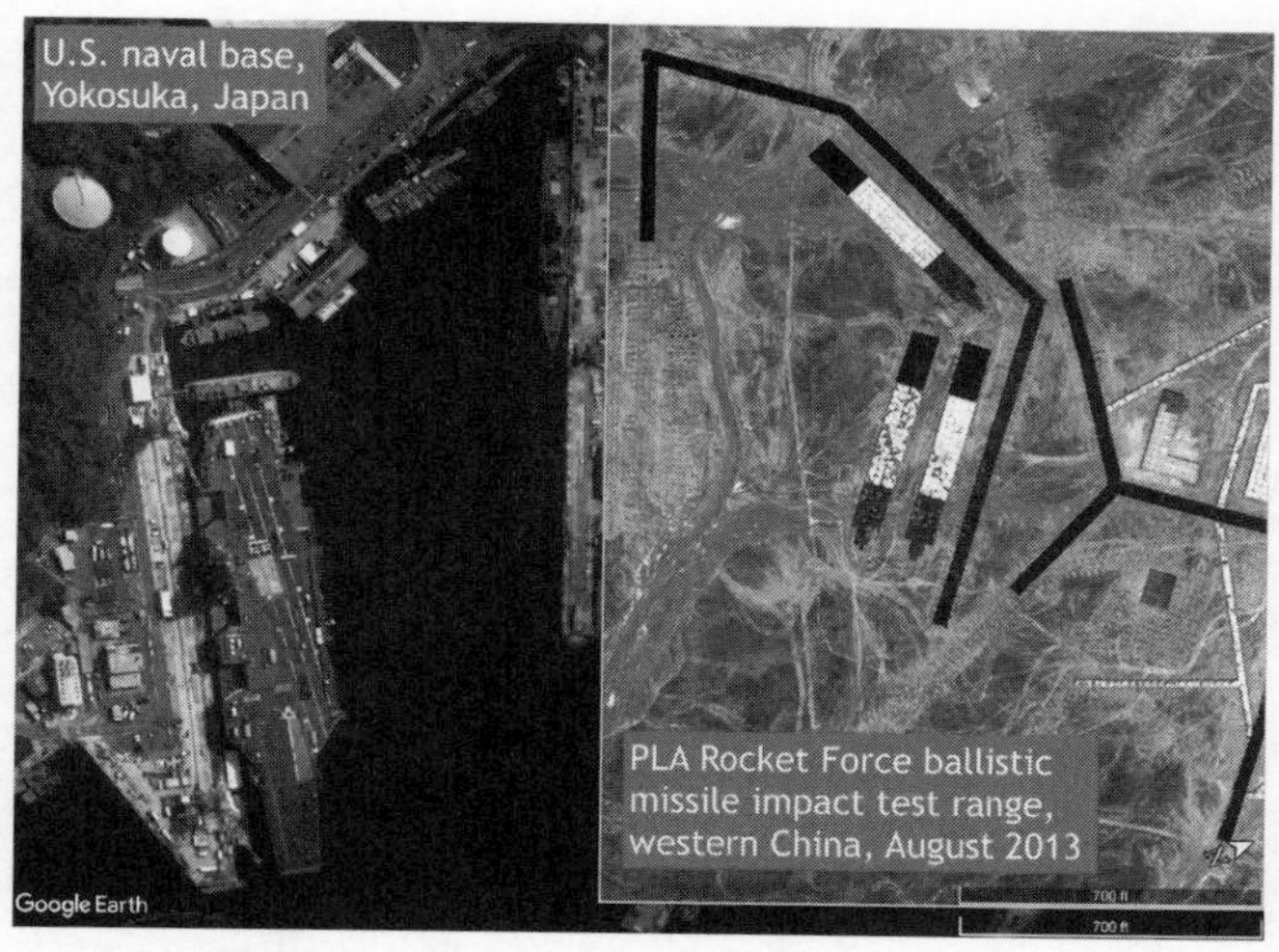

図5　中国の弾道ミサイルの能力（4）
THOMAS SHUGART "HAS CHINA BEEN PRACTICING PREEMPTIVE MISSILE STRIKES AGAINST U.S. BASES?"（『WAR ON THE ROCKS』FEBRUARY 6, 2017）より

基地を作り、そこにミサイルを撃ち込む訓練をしている。衛星写真で撮られることも十分承知して訓練している。このようなメッセージを発している意味をどう解釈しますか。

小野寺　これは、自分たちはこれだけの能力を持っているぞと示したいということですから、本当に能力が育っているかどうかは分かりません。ただ、こういうものが表に出ることによって、相手に対しては侮るなというメッセージを伝えることができる。そういう意味ではこれも抑止力の一つだと思います。中国は中国で、これが表に出ることを予期しながらも、わざわざやっている。中国は能力が高いと思わせることは、中国にプラスになると、そういうことだと思います。

櫻井　高橋さん、中国にはアメリカ軍の基地を叩く能力があるのだぞ、と見せる。それには目的があるわけです。その目的は何なのでしょうか。例えば中国は台湾を取ることを大目的にしていて、台湾を取るための一つのプロセスとしてアメリカ軍が動くようなことはさせないぞということなのか。一連の軍事訓練をどう解釈しますか。

高橋　実際、台湾海峡有事が起こった時に、少なくとも中国の軍事戦略家の立場からすれば、どう米軍を阻止するかを考えなければいけません。ですから、そのために在日米軍基地を攻撃する能力をきちんと備えていこうというのは、論理的な必然なのだと思いますね。示威という意味もあるでしょうし、あとはやはり実際に撃ってみて、当ててみるという意味もある。あるいは、これは完全な推測ですが、ある種の演習を行う時に、これは実際のターゲットなのだ、そこを撃ってみよう、というと、士気は上がるのだと思うのです。そういういろいろな理由があるのではないかと思います。

櫻井　一連の訓練で彼らの撃ったミサイルの射程はどのくらいですか。

高橋　それはまさに公開情報の限界で分からないですね。このグーグルアースの衛星写真はいつ撮ったかも分からないものです。軍事情報の世界であればそれはトレースしているはずですが、一般の公開情報だと射程がどのくらいのミサイルを、どのような条件で撃ったのかは分かりません。

櫻井　なるほど。二〇〇〇基のミサイルを保有し、こういった訓練がなされている。これに対して私たちの国は、どうやって国民の命、国土を守る手立てを打つことができるのでしょうか。どういった対策が考えられるのですか。

小野寺　撃たせないことが一番重要です。そのためには、ミサイルを撃ったら、その代わりに何倍返しもされるという……。

櫻井　『半沢直樹』の決めぜりふみたいに、一〇倍返しとかね。

小野寺　何倍にも返されるとなると、これは間尺に合わない、やはり撃つのはやめておこう、となります。そういう抑止の考え方にしっかり巻き込んでいくことが大事です。そういう意味では日本も万が一の時にはしっかりやるぞと。いま日米同盟の中でアメリカがその役目を負ってくれることになっています。が、少なくともそれをすごく厚くすることは抑止力の向上につながるので、日本もやはり一定の能力を持つべきだと、ずっと思っています。

陸上イージスと海上イージス

櫻井 このような状況の中で、二四時間、三六五日、ミサイルを見張ろうとしたのが、地上配備のイージス・アショアと考えてよろしいですか。

小野寺 イージス・アショアを陸上に配備し、二四時間三六五日、当初は北朝鮮のミサイルから我が国を守ろうと思った背景は次のようなものです。

実はいまこの仕事はイージス艦が行っています。ただ、イージス艦は他にもたくさん能力があるので、これに専従させるのはもったいない。さらに言うと、海の上で活動するので、普通であれば一基や二基で守れるのが、何隻も順繰りにやらなくてはいけない。そうすると日本のイージス艦はほぼそこに取られてしまう。日本だけではなく、実は日本の横須賀にあるアメリカのイージス艦も、もしかするとそちらに取られてしまうかもしれない。

本来、イージス艦がどこで一番必要かというと、緊迫している東シナ海や日本の近海、周辺海域。本当はここで必要なわけです。ですから一番必要な装備をそこに展開するためには、いまイージス艦が担っている役割を軽減する。そのために、陸上配備のイージスを置く。これがイージス・アショアを配備する基本ですので、私はいまでもその必要性というのは変わっていないと思っています。

櫻井　陸上配備のイージスと海上配備のイージスで、能力は違ってくるのですか。例えば撃ったミサイルが目的をとらえる精度などは陸上から撃った場合と海上から撃った場合では違うのですか。

小野寺　変わりません。今回のイージス・アショアの中に入るミサイルというのは、最新鋭のミサイルです。船でもそれをこれから積んでいくので、そういう意味では船でも陸上でも問題ない。

しかし、実は陸上に置く一番の意味は、例えば二四時間三六五日ずっと勤務するということになると、船の上だと補給も必要で、なんといっても船上は揺れます。隊員の負担はずっと大きく大変なのです。それよりは、例えば自衛隊もレーダーサイトを持っていて、あれも二四時間勤務で見ていますよね。あれと同じように陸上にその部分を置けば、安定して、隊員も補給をしながら、交代をしながら対応できる。運用上、すごく楽になる。それがイージス・アショアのメリットだと思います。

櫻井　高橋さん、いまイージス・アショアのメリットを小野寺さんがお話しになったのですが、陸上のイージス・アショアからミサイルを撃った場合と、海上から撃った場合の命中度は同じということでした。これを補給する手間についてはいかがですか。

高橋　もちろん、搭載できるミサイルの数には限りがあります。撃ち尽くしてしまった場合、船の場合は一回、港まで戻らないと補給ができません。ただ、陸地にあると、要するに発射管に入っているものを撃ち尽くした後も近くの倉庫から持ってくればすぐ積める。再装填の時間差は著しく短くすることができます。

櫻井　船で撃ち尽くして港に戻ってきた場合、また船に積み込むわけでしょう。積み込みは簡単にはいかないでしょう。

高橋　簡単ではないですね。

櫻井　ということは、海の場合、イージス艦は撃ち尽くしたら最後、しばらく戦力にならないと考えなければなりませんね。

小野寺　他の船が行って、代わりにその役割を果たせます。しかし、いまの弾道ミサイルは日本に十数分で来ると言われています。その時間差を考えたら、戻ってきて弾を込めて、交代でと、そんな余裕はありません。

櫻井　そのうちに着弾して、我が国が被害を被ってしまいますね。

小野寺　例えば次々と撃ってくる飽和攻撃、あるいは北朝鮮が昨年、実験を行った時間差でパシパシパシパシと撃ってくる攻撃。ああいう撃ち方をされると、それに全部当てるように対応できるのか。そういうことを考えていくと、やはりどうしてもイージスシステムで撃ち落とすには、最終的にはどこかで限界が来る。そういう時にどうするか。当然、アメリカの反撃力を期待するわけですが、日本としてどうするのか。そういう議論が実はずっといまでも続いています。

核兵器は使われるか

櫻井　もう一つ基本的なことを教えて欲しいのですが、日本人は「ミサイルを撃たれる」という意味を通常兵器と捉えがちです。でもミサイルには核兵器が積まれている可能性が大きい。となればミサイルは通常兵器と考えてはならない。そうした前提で対策を組み立てるのが正しいのですか。

小野寺　当然、想定していただきたいのは、戦争ですから、勝つか負けるかしかないわけです。どんなことをしても勝ちたい相手は、どんなことをしても勝つために、あらゆることを当然、考えてくる。言ってみれば、そこに情け容赦が入ってくる余地はないのです。

最大の兵器とは、例えば核。北朝鮮の場合には最後に行った核実験の推定出力は広島の一〇倍以上ですから、そういう意味では、それがないとは決して言えない。やはり、私ども防衛に対応する人間は最悪を考えるべきだとすれば、当然そこに核が積まれていると考えるべきで、それに備えるのが普通ではないかと思います。

櫻井　高橋さんはご著書の中で、ＩＮＦ条約撤廃前は、核兵器は持っているだけで十分だという「抑止の論理」だったけれども、いまは核兵器は「使われることを前提」に対策を立てなければならないとお書きになっていますね。

高橋　核抑止には元々二つの考え方があります。核兵器は存在していればそれだけで抑止力になるという考え方が一つ。もう一つは、いや、存在しているだけでは駄目で、きちんと使える準備をしていなければ抑止力にはならないという考え方。長い間、この二つがあったわけです。

冷戦期は存在していれば抑止できるという抑止論が中心でした。米ソの間で「戦って勝つ」というのは事実上、不可能だったのです。それが、安全保障環境情勢が悪化していくことによって変わってきました。また、冷戦期といまの非常に大きな違いは、冷戦期には核戦争が起こったら人類が滅んだのですが、いまは恐らく人類は滅びない。人類が滅んでしまう可能性は米ロの間でしかなくて、例えば朝鮮半島有事で核兵器が使われても、それで人類が滅びることはないということです。

そういう意味で、核兵器が使われる可能性をもっと真面目に考えなければいけない世界になってきている。つまり、ＩＮＦ条約がなくなったから、核兵器が使われる可能性が出てきたということではなく、そういう世界の中で冷戦期の産物であったＩＮ

Ｆ条約が寿命を終えたというのが現状です。

櫻井　核について、私たちの考え方を修正しなくてはならないと、高橋さんは言ってらっしゃる。世界情勢はそこまで緊迫しているということです。核が使われる、即ち核戦争が勃発する危険性がある、しかも、日本周辺のミサイル配備の密度は非常に高い。この尋常ならざる状況について、小野寺さんはどう考えていますか。

小野寺　ご指摘の通り、より核が使われやすくなった可能性はあります。相手の国を戦略的に壊滅的に破壊するような核兵器を、いまの米ロがお互いに撃ち合って、世界中が滅茶苦茶になるということは恐らくどちらの国もしないだろう。だから抑止で止まっている。

けれど、もう少し能力の小さい、戦術的に使えるような核が実際にいま出ています。それを使うことによって決定的に優位に立てる。でも大きな大戦にはつながらない。では、その核をどこに使うのか。これは逆に高橋さんに聞きたいのですが、核を持っていない国に使った場合、核を持っていない国は核で反撃できませんから、そうすると逆に核を使いやすくなる。しかし、それを使うことによって、国際的に大きな非難を浴びます。しかし、核を使われた国は核を持っていないので反撃できない。他の国は自分の国に核を撃たれているわけではないのに、核を使った国に対して核を撃てるか。
このものすごく難しい現実に直面して、目をそらしてはいけないとなると、世界中が核武装論になるわけです。ですから核の問題は、これ以上広げないようにする必要があって、私たちは北朝鮮に対して強い姿勢で対応しています。北朝鮮に倣って他の国が同じように広げてしまえば、結局みんな核を持たざるを得なくなります。しかも核を使いやすくなってしまう。そういう危険性があるのかなと私は思うのです。専門家である高橋さんにぜひそこを伺いたいと思います。

櫻井　いま、アメリカ、ロシアだけではなく、現に北朝鮮が核を持っているわけです。もし韓国と北朝鮮が統一したら、朝鮮半島には核保有の朝鮮国が生まれます。中国、インド、パキスタン、イスラエルも持っている。イランも核を持とうとしている。ミサイル配備の濃度が高いだけでなく、日本は核保有国に囲まれているわけです。高橋さん、いまの小野寺さんの問いにどう答えますか。

高橋　核が使われる可能性があるのは、恐らく国際世論の反発を気にしなくてもいい、あるいは気にする余裕がない、つまりその国自体が滅びるかもしれないという状況が一つ。あともう一つは、例えば日本に核を使ったとしても、アメリカがその報復に撃ち返すのを思いとどまるだろうと考えた場合です。北朝鮮の場合、両方ともあり得ます。

北朝鮮はこれまで三つの段階のミサイルを揃えてきました。朝鮮半島で使うミサイル、日本に対して使うミサイル、あと米本土に使うミサイルです。それでアメリカを脅せば、アメリカの報復は抑止できるのではないかと金正恩氏が考える可能性があるということです。

一瞬で変わる防衛政策のために

櫻井　非常に厳しい安全保障環境が生まれてしまった。この厳しさは、いままで私たちが東西冷戦の中で、アメリカに守られて自由陣営にいた時とはガラリと違います。

小野寺　私が防衛の仕事をしていていつも感じるのは、防衛の、あるいは国際関係の政策変更というのは、時の政治と時のリーダーで、一瞬で変わるのです。

ところが、防衛装備、防衛技術、防衛能力を高めるのは一〇年以上の積み上げでようやく形になっていく。そうすると、政治の判断としてやはり備えておかないといけない。いまは日米同盟が大事、あるいは日中の関係も良くなる、北朝鮮に対しては国際社会が圧力をかけている、こういうことで動いています。

これからもそれで続くと思うのですが、ただ、最悪のことを考えておく必要があります。いろいろな国際関係の中で、もし政策的に、この関係が一瞬にして崩れてしまった場合、その時、日本はどうするのだ、と。自分でやらなくてはいけない。慌ててももう遅い。今の日本の姿勢はやはり責任ある国のものではないと思うのですよ。

ですから、安全保障の問題は正面からいろいろなことを議論していかなければならない。当然、批判も受けますが、そこは将来の日本を考えて、しっかり正面から応えて少しでも理解を深めていくことが必要だと思います。

櫻井　喫緊の課題の一つが、敵のミサイルが飛んでくる危険をどうやって察知するか。つまりイージス・アショアの代わりをどうするかということですが、自民党内の議論は、どのように推移しているのですか。

小野寺　いろいろな意見が出ているのですが、イージス・アショアはいま現在の安全保障、危機の問題については重要ですし、撃ち落とすには、これ以外、いまのところ対応する手段がない。それは速やかにやるべきです。政府としては陸上に配備したいけれども、住民の反対があってできなかった。だからどこか、反対のない海の方にと考えているのだと思います。

ただ、それだけでずっと守れるか。どんどんミサイルの能力も高まってきますから、最終的にはやはりミサイルを発射する前、止まっている段階で食い止めるのが一番です。あるいはブースト・フェーズと言いますが、上昇段階でゆっくり上がっている段階。そこで食い止める。これが実は一番食い止めやすいのです。

ただ、ブースト・フェーズは相手の領土と領空にあります。日本を守るためにはそこでミサイルを阻止することが国防上必要だと、政府として決定すべきで、これが自民党の提言です。もちろん、憲法にも抵触しませんし、あくまでも政策判断の中で対応できるものなので、私はこれを政府として決定しなければ十分な対応ができなくなると思っています。

櫻井　小野寺さんの仰った敵の領土で食い止めるということ、つまり、敵基地攻撃ということになりますが、いま日本ではまだこれに踏み込んでいないわけです。議論が始まっている段階で、日本では、相手のミサイルが撃ち上げられたものをイージス・アショアで察知して、宇宙空間で撃ち落とそうという計画だった。

小野寺　アショアだけではなく、いまイージス艦でも同じことをしていますので、それは現在も有効に効いています。現在もイージス艦は、もし飛んで来たらそこで落とします。

櫻井　かなり正確に撃てるのですか？

小野寺　ええ。いままで実験でしっかりそれは撃ち落としていますので、それは対応できると思います。

櫻井　これは宇宙空間の話ですよね。ここでもし万が一、失敗した場合に、ミサイルが大気圏に突入した段階で、今度はＰＡＣ３、パトリオットが撃つわけですか。

小野寺　パトリオットで最終的に撃ち落とすことになりますが、この段階までくると、仮に落としたとしても、その破片は日本の領土内に落ちます。当然、そこに住家があれば住家は被害を受けます。ただ、このミサイルが何を積んでいるか分からない状況で、向こうが狙った所に落ちて大変な被害を受けるよりは、途中でインターセプトして、少しでもその被害を軽減する。そういう対応になると思います。

櫻井　ミサイルには核を積むこともできるし、化学兵器も積むことができますね。

小野寺　はい。それは相手がどんな能力を持つか分かりませんが、通常、ミサイルを保有している国は、核弾頭もあれば、化学兵器、大量破壊兵器を持った弾頭も持っていると考えるべきだと思います。

敵基地攻撃はミサイル防衛の一つ

櫻井　日本を敵対国のミサイルからどうやって守ることができるのか。高橋さん、いかがですか。

高橋　まず大切なことは、ミサイル防衛と敵基地攻撃の二択ということではなく、それらをいまあるミサイル防衛の多段階の仕組みに組み込んでいくということなのです。特にミサイル防衛システムだけだと、撃つ側は何の妨害も受けずに攻撃の準備ができるということになります。例えば先ほど小野寺先生が仰った飽和攻撃みたいな攻撃。それも全く邪魔されずに何十発、百数十発のミサイルを揃えて同時に撃つことができるわけです。

ところがミサイル阻止力、敵基地攻撃能力があると、そういうことができなくなります。つまり、ある種、頭を抑えられた状態の中で、例えば北朝鮮は攻撃の準備をしなければいけないので、まず自分の思うようには展開できないし、同時に撃てないかもしれない。同時に撃てなくなると、その分、ミサイル防衛が成功する可能性が高くなります。

ですから、必ずしも地上で相手のミサイルを撃破できなくても、相手のミサイル攻撃作戦を妨害することによって、ミサイル防衛の成功率を上げていく考え方がどうしても必要になってきます。敵基地攻撃能力はこれまでなかったものなので、違うイメージを持つ方が多いのかもしれませんが、これはあくまでミサイル防衛の一つなのです。上昇段階の前に、ミサイルをいくつかでも撃破する。

櫻井　上昇段階の前というのは、撃つ瞬間、そのくらいの感じ？

高橋　いや、もっと前です。準備の邪魔をする。

小野寺　例えば、北朝鮮から日本に弾道ミサイルを撃ったとします。日本が何もして来なければ、悠々と冷静に二発目、三発目を撃てます。ところが日本には反撃する能力があるのだと北朝鮮が思えば、撃ったらすぐに反撃が飛んでくるかもしれないので、怖いから隠れる。TEL（Transporter Elector Launcher＝発射台付き車両）を隠しますよね。そうすると高橋さんが仰ったように次の対応ができなくなる。彼らはパシュンと撃ち、隠れて待つ、パシュン、隠れて撃つ。つまりミサイルが一つずつ飛んでくるので、食い止めやすい。そういう効果もありますよということだと思います。

櫻井　なるほど。そのような構えが一番、合理的ですね。費用の面でもそれが一番、安くて済みますか？

小野寺　安くて済みます。やはり、ものすごいスピードで飛んでくるものを撃ち落とすというのは大変な技術です。そんな大変なミサイルを持つよりは相手のところに届くもの、それがある程度、相手の動きを察知して対応できるとなれば、コストとしてはそんなにべらぼうな金額にはならないと思います。

櫻井　自民党内の議論では敵基地攻撃、それからこのイージス・アショアの代わりのイージス艦について、まとまりそうですか。まとまりそうなら、どのようにまとまりそうですか。

小野寺　自民党としては安倍政権にもう提言を出しています。そして安倍総理の提言を受けて、菅総理も踏襲すると言っています。後はいま、自民党の中の提言は出たけれども、与党内、公明党さんはどういうお考えなのかということを丁寧に聞いているのだと思います。

世界で唯一の特殊な議論

櫻井　日本はこれから日本国を守るだけではなくて、大げさでなく、アジアのリーダーとしてアジア全域の安全保障、それからビジネスの在り方、つまり、公正なルールで経済を運営する枠組みを作ることなどについてもリーダーシップを発揮しなければいけないわけです。が、まず足元のこの危機を、日本なりにきちんとまとめることができなければ、リーダーシップなど発揮できません。

小野寺　いま、こういう議論をここで一所懸命させていただいていますが、実際に戦争状態の時に相手の領土に対して攻撃を正確に行うというのは、どの国も当たり前に検討するし、能力を持っています。そういう意味では、私どもだけは特殊な議論をしていると。

櫻井　日本は本当に特殊です。ある意味、異常だと言うべきです。

小野寺　世界で唯一、特殊な議論をしている国だと思いますが、それだけ平和国家日本として慎重にやっている。慎重に議論をしながら前に進めて行くべきだと思います。少なくとも日本が攻撃を受け、戦争になっている状況の中で国民を守るためには、どんなことでもしっかりするということが本来の国防の考えですから、それを真っすぐできるような議論を国会でもしたいと思います。

櫻井　間に合うのでしょうか。北朝鮮はすでに日本を射程におさめたミサイルを保有し、彼らは核の小型化にも成功したと、専門家は言います。つまり、対日核ミサイル攻撃ができるということです。中国はいつ何時、習近平体制の足元が揺らいで、国内世論をまとめるために対外強硬策をとり、そこで日本がターゲットにされないとも限りません。アメリカはもちろん我が国の大事な同盟国ですが、国内政治によって対外政策は当然、影響を受ける。結局、本当に頼れるのは我が国だけなのです。その我が国の防衛力は、考え方も含め、能力を格段に向上させる方向で変えて行く必要があります。政府も自民党もそう考えて対応しようとしていますが、いまのスピードで間に合うのか、懸念しています。

小野寺　これは高橋さんの専門ですが、抑止力という観点から一定の能力を持つことは大事ですし、それがはっきりすれば、それに全力を結集していけば、それなりに抑止力が効いた形の、コンパクトだけれども鋭い防衛力整備になっていくと思います。

櫻井　日本国の防衛力は相手の目にどのように映っているのか。十分に鋭いものがあるのか。きちんと抑止できるのか。いかがですか。

高橋　それはむしろ、相手に聞かなければいけないのです。抑止が成功するかどうかを決めるのは抑止する側ではなくて、攻める側だということです。

いままさに小野寺先生が仰ったように、私たちは努力しなければいけない。国民が納得して防衛体制ができていることこそが、やはり民主主義国家の強さなので、全員が同じ意見を持つことはないと思いますが、いろいろなところで議論をして、ある程度の納得感の下にこういう能力を持っていく、備えていくということが必要になっていくと思いますね。

小野寺　世論調査でも、あまり使っていないワードにもかかわらず、敵基地攻撃能力に対して、半数近くの国民が必要だと出ています。私は正面から議論して、納得していただいて積み上げいく、そういうことはできると思います。高橋さんが仰ったように、やはり抑止力を高めるためにはミサイル防衛の一環としてもこのような考え方が必要だと、国会の場で私たちが丁寧に一つひとつ説明するということです。その方がむしろ、守りやすくなるのですから、なるほど、と聞く方が多いと思います。

「学問の自由」を侵害する組織

櫻井　いまお話してきたような厳しい安全保障環境の中で軍事研究を日本だけはしてはならないとする日本学術会議というものがあります。

菅義偉首相は二〇二〇（令和二）年九月、日本学術会議が推薦した会員候補の一部について、任命を拒否しました。今回推薦されたのは一〇五人で、そのうち菅首相が任命しなかったのは六名です。日本学術会議の会員は二一〇人、任期は六年で一期のみ、三年ごとに半数を入れ替えます。日本学術会議が推薦し、政府が追認する歴史が長く続いてきましたが、それを菅政権は拒否しました。任命されなかった会員候補は、「学問の自由に対する暴挙だ」と反発しています。

それに対して、北海道大学名誉教授で国家基本問題研究所の理事である奈良林直先生は、「学術会議こそ学問の自由を守れ」と書かれました。国家基本問題研究所「今週の直言」二〇二〇年一〇月五日で「学術会議こそ学問の自由を害している」との趣旨で、北海道大学が体験した例を挙げて指摘されています。少し引用しますね。

〈北大は2016年度、防衛省の安全保障技術研究推進制度に応募し、微細な泡で船底を覆い船の航行の抵抗を減らすM教授（流体力学）の研究が採択された。この研究は自衛隊の艦艇のみならず、民間のタンカーや船舶の燃費が10％低減される画期的なものである。このような優れた研究を学術会議が「軍事研究」と決めつけ、2017年3月24日付の「軍事的安全保障研究に関する声明」で批判した。学術会議からの事実上の圧力で、北大はついに2018年に研究を辞退した〉

小野寺さん、この学術会議は本当に変な組織で、防衛省もさんざん苦しめられてきたのではありませんか。

小野寺　まず、私が直面したのは、一度目の防衛大臣の時です。日本の次期戦闘機等、新しい技術を開発する時に、当然、防衛省も研究機関を持っていますが、やはりオールジャパンで開発したほうがいい。ですから、例えば航空機の専門の研究をしている大学、研究室などと協働した方がいいのではないかと提案したら、「いや、基本的に、旧帝大系を含めて、防衛省との研究は受け付けません」と。それどころか、防衛大学を卒業して大学院に行こうとしても、それも入れてくれないのだという。

中国の人民解放軍の経歴を持っている人は、日本の主たる大学の大学院に受け入れて、技術をどんどん教え、垂れ流しているのに、です。なぜ国を守るための防衛大学を出た研究者は入れてくれないのか。
そういう様々な矛盾があるので、その学術界と防衛省の垣根を少し低くするために、防衛省が新たに公募型の研究ファンドを作ろうと考えました。ファンドを作って、予算を作り、それで学術界に受けてもらう仕組みを、実は発案して作らせたのです。

櫻井　小野寺さんが防衛大臣の時に仕組みを作られた。

小野寺　それが「安全保障技術研究推進制度」というものです。つまり、防衛省が予算の中で、「安全保障に関するような研究をしている方については、ぜひ応募してください」と募ったわけです。こちらから「〇〇をしてくれ」というのではなく、「こういうことをやっているので研究費をくれませんか」との応募に、予算をあげるという仕組みです。先ほど仰ったように、かなり初期に採択をして、いい研究をしていたのが北海道大学でした。
ところが日本学術会議の中で、軍事研究につながるものをやってはいけないという声明が出され、結果として途中で「やはり研究を中断したい」となり、やめてしまった事例もあります。学術会議がそういう発表をした中では、今まで研究を行おうと思っていた大学のかなりの先生方が研究を辞めざるを得ないわけです。おかしいと思いますね。

櫻井　二〇一七年に日本学術会議は「軍事研究」忌避の声明を改めて出しました。

小野寺　もう一つ、学術会議は安全保障の研究はしてはいけないと言いますが、例えば大阪大学や、東京工業大学、東北大学、京都大学は、実は米軍から研究費をもらって、研究成果を出しているわけです。

櫻井　軍事研究ですね。

小野寺　それが直接、軍事につながるかどうかは別として、少なくとも米軍からの受託研究を受けているけれども、防衛省からの研究は受けてはいけない。これは日本の大学としてどうなのか。それを全部、仕切って、そういう雰囲気をつくり出しているのが日本学術会議ですから、名称に「日本」をつけていいのかと、私からすればそう思うくらいです。

「反日学術会議」の利敵行為

櫻井　はっきり言えば「反日学術会議」ですね。いま、アメリカの軍事研究に日本の学者が入っていると仰いましたが、中国にも行っているわけでしょう。

小野寺　例えば、中国の人民解放軍から受託研究を受けているかどうかは分かりません。ただ少なくとも、中国の人民解放軍の経験がある方が研究者として日本の大学の大学院で、さまざまな先端技術の研究をし、それを本国に持ち帰る。あるいは日本の研究者の方が中国に招聘され、中国の安全保障につながるような、そういう研究をされているという報道もあります。そういう意味では、なぜ日本を守るための研究には反対をし、それ以外のことに関しては、それほど敏感ではないのか。不思議な組織だと思います。

櫻井　名城大学教授の福田敏男氏は二〇一一年に日本学術会議の会員になっています。私が調べたところ、福田氏は一二年に中国の「外専千人計画」の一員に選ばれました。「千人計画」は中国が海外の理系研究者を高い報酬等で広く集めて中国人民解放軍も含めた中国の科学研究に寄与させる遠大な計画です。

福田氏は一三年に、軍事研究においても優れた成果を出している北京理工大学の専任教授になりました。氏について北京理工大ホームページは「マイクロ・ナノロボットや生物模倣ロボットの分野で卓越した人物」「00年から北京理工大の黄強教授と協力して研究した」と紹介し、「08年から北京理工大学『特殊機動プラットホーム設計製造科学与技術学科創新引智基地』の海外学術講師、10年には『生物模倣ロボット・システム』教育部重点実験室の学術委員会委員に就任、13年に北京理工大学の専任となった」と明記しています。

中国は軍民融合の国ですから、研究が表向き民生研究であったとしても、全て軍事に転用されるわけです。その点を認識すれば、学術会議のメンバーが国内で軍事研究をすることは許さないけれども、北京ですることには問題提起しないというのはおかしい。

日本のためには働かないけれども、アメリカ、中国、その他の国のためには働く。アメリカは我が国の同盟国ですが、中国はいまあからさまに日本に対しても軍事的な脅威を突き付けている国です。中国の軍事力が強くなれば、私たちの国が攻撃を受ける恐れがある。その時には国土が損なわれ国民の命が失われる危険性がある。つまり、これは利敵行為だと言ってよいと考えます。どうしてこの日本学術会議のような考え方が生まれてくるのでしょうか。

小野寺　櫻井さんも「公職追放」という言葉はよく聞かれていると思います。一般的に、戦後、公職追放されたのは政治家だというイメージがあると思いますが、実は政治家だけではなく、経済界も学界も公職から追放されました。そしてあの時、政治もどちらかというと左翼系の方がワッと入ってきて、経済界も実は労働運動がすごく盛んになり、そして学界にも左翼的な考えの方が入ってきたわけです。でも政界、国会議員は国民から選ばれるので、国民の判断として、やはりだんだん保守政治に戻っていく。経済界は経済活動を行いますから、やはりやがて保守的な考えの経済人が中心になっていきます。唯一、変わらなかったのは学界なのです。

なぜかというと、ご存じのとおり学界には教授がいて、准教授がいて、というラインがずっとありますね。トップの人が「次のトップ」を指名するわけです。研究室も自分の考えに近い人を指名してしまうので、例えば憲法九条が大事だという人が、ずっとその研究室をつないでいます。

櫻井　憲法学の世界と同じようなことが起きたということですね。

小野寺　そうです。研究者全部ではないのです。ただ、戦後の公職追放の時に、どさくさ紛れに入ってきてしまった人たちの考え方を、先ほど述べた構図の中でずっといまでも引きずっている。そういうコミュニティがある。そのコミュニティの中で、例えば学界の偉い人が出てくる。また、その中から学術会議会員に選ばれる。こうなると、当然、研究者全体からすれば、その人たちとのずれが出てきます。あるいは国民感情からしてもずれがある。ただみんな、学問は侵してはいけないものだということで、そのままにしている。するとそのコミュニティの中で、隠れて好き勝手やっている。

どうしても安全保障の観点から見れば、日本学術会議はそういう組織に思えて仕方がないので、今回を契機にしっかりと改革もして頂いて、真の意味で「国民のための学術会議」になって欲しいと思います。

一〇年間何も提言しなかった

櫻井　小野寺さんは今「改革を」と表現されましたが、国民の立場からすると、このような日本のためにならない学術会議なら、要らないということになります。海外の事例を見ても、税金でサポートしている学者のグループはないですよね。

小野寺　日本学術会議は、年間約一〇億円の予算で運営されていますし、かなりの職員を公務員としています。あるいは会員になれば、手当としていくばくかのお金が入ります。さらに言うと、いろいろな研究費に対して、この学術会議が意見を出すことが大変重くなります。それぞれの研究者は予算が欲しいので、そういう意味で学術会議にかなり重きを置いてしまう。

このような不思議な組織がいまだに存在していますが、この学術会議の会員を実はほとんど誰も選んでいないわけです。高橋先生に先ほど伺ったら、高橋先生もいわば学会の会員ですが、誰が代表で学術会議の会員として選ばれているかを知らないし、それに関与することもないということでした。これがおそらく実態ではないかと思うのです。

櫻井　なるほど。実は日本学術会議は過去一〇年間、何の提言もしていません。事務局で常勤職員が約五〇人いますが、仮に彼らの給与を年間七〇〇万円としたら三億五〇〇〇万円が事務局員の方々に払われている。にもかかわらず、一〇年間にわたって何の提言もしていない。事務局の経費だけで一〇年間で三五億円です。

こんなにお金が使われているのにほとんど何もせず、たまにすることと言えば、先ほどの奈良林先生が書かれた事例のように軍事研究をやめさせること。あるいは、小野寺さんが指摘されたように、せっかく防衛省が、日本の学者の協力を得てオールジャパンでいいものを作ろうと思っても、それもやめさせる。こんな国益に反する集団の存在意義は疑われて当然です。

小野寺　しかも、日本学術会議のメンバーは会員の方々が互選で選ばれているわけではなく、なんとなくこの中で推薦して、メンバーが政府に上がってくる。政府はいままでそれを、そのまま受け入れていたわけです。でも、やはりどうも違うと今回なり、推薦があっても会員にしなかった。それを学術会議が問題にしているわけです。推薦をそのまま、全部丸のみしろという、そんな会議はないですから。

櫻井　なぜ任命拒否をしたのか、その理由を明らかにするよう学術会議側は主張していますね。でも、例えば国民から選ばれて代議士になった議員が閣僚に選ばれなかった場合に、なぜ私を選ばなかったのか説明しろなどという理屈は通用しない。会社でも、なぜ自分が社長になれないのか、専務になれないのか、説明しろなどといっても通用しませんよね。

日本学術会議の理屈は本当におかしい。どうして任命しないのか説明しろというのならば、その前に、あなた方はどういう理由でこの人たちを選んでいるのか、その推薦基準を説明しなさいと言ってもおかしくないですよね。

小野寺　結局、誰が見てもやはり日本学術会議会員にそぐわない方が、もしかしたら推薦された中にいるのかもしれません。そういう意味では今回、そういう方々を、政府として俯瞰した考えの中で、メンバーに入れなかった。

ほとんどの推薦された方々は、専門で活躍されている方で、本来なるべき人なのだと思います。ただ今回、推薦された一〇五名の中の六名については、政府としてどうかと考えたわけです。そういう意味ではむしろかなりの部分は、推薦された人を入れていると考えるべきなのです。推薦した全員を会員にしなければ駄目だというのは、ちょっと違うのではないかと思いますね。

櫻井　もう一度、強調したいと思います。国民の命を害するかもしれないような、例えば中国と研究をして軍事転用されるような技術を考案することを是とし、日本国内で日本国のため、日本国民のためにする研究を、軍事だからと禁止するような組織は有害無益だと考えます。私は日本学術会議は解散し、日本のアカデミーは他国と同じように学者の皆さんが自力でお金を集めて運営するのが一番いいと思います。

小野寺　私は学術会議の会員選出には、それぞれの分野で多くの方が納得する方が選ばれる仕組みが必要だと思います。もう一つはやはり、社会の常識とずれた研究成果、特に憲法の問題などが出てくると、これはどうなのかなと、私個人は感じてしまいます。

櫻井　小野寺さんはお優しい。私はやはり、一度、民間で作り直した方がいいような気がします。

日本を取り囲む安全保障環境の厳しさ、そして日本学術会議の問題を論じてきましたが、この問題に対する日本国内の根深く消極的な姿勢は、悪しき占領政策の残滓だと私は思います。これを一所懸命、お互いに協力して打ち破っていきたいと思います。

（二〇二〇年一〇月九日放送）

〈追記〉

二〇年一二月一八日の閣議で菅政権は敵基地攻撃能力を保有するのかしないのか、判断を明らかにしないまま、期限も示さずに先送りすることを決定した。無責任な閣議決定だと言わざるを得ず、残念である。菅首相が決めたのはイージス・アショア二基の配備を取りやめるかわりに、海上自衛隊にイージス・システムを搭載する船を二隻造るなどということだ。これで十分なわけがない。

本稿でも繰り返し強調しているように日本の周りにはミサイルも核も高密度でひしめいている。この中で、中国の膨張、北朝鮮の無謀な戦術戦略が懸念されている。緊迫する安全保障環境の中で菅政権は日本国民と日本国を防御不十分な裸に近い形で放置するのか。許せないことだ。

年が明けた二一年、バイデン政権が発足し、中国も北朝鮮も対米姿勢を硬化させつつある。そうした中、三月二五日、北朝鮮がこれまでに発射したことのない新型ミサイル、「新型戦術誘導弾」二発を発射した。これは軌道が変則的で迎撃できない。安倍前首相の提言した敵基地攻撃能力保有が急がれる。そうした中で自民党前政調会長の岸田文雄氏が「ミサイル阻止力」の保有を提案した。

北朝鮮は恐らくこれからもミサイルを撃ってくるだろう。状況の厳しさを見据えて、公明党は国民のために、夢見る政党であることをやめることが大事である。責任政党の自民党は菅首相に日本国民の命を守り、国土を守る厳粛な責務を思い出させてほしい。菅首相は携帯電話料金の値下げなど、国民生活に直結する問題と共に、国民の命と日本を守る戦いに、自衛隊の最高指揮官としての責任をもって臨まなければならない。

第5章

有事に動けない国

佐藤正久×松本尚×櫻井よしこ

松本尚（まつもと・ひさし）
日本医科大学教授、同大千葉北総病院の救命救急センター長。一九六二年石川県金沢市出身。八七年金沢大学医学部卒業。金沢大学医学部附属病院救急部・集中治療部講師、日本医科大学救急医学准教授などを経て、二〇一四年から現職。治療開始時間を早め、救命率向上に寄与する国内のドクターヘリ事業のパイオニア。フジテレビ系のドラマ「コード・ブルー　ドクターヘリ緊急救命」の医療監修も担当。専門は救急医学、外傷外科学、災害医学。共著に『救急活動コミュニケーションスキル』（メディカルサイエンス社）、『写真でわかる外傷基本手技』（共同監修、インターメディカ）。

なぜ日本で〝医療崩壊〟か

櫻井　二〇二一（令和三）年になり、一月七日に二度目の緊急事態宣言が発出されました。区域は途中から拡大し、栃木県、埼玉県、千葉県、東京都、神奈川県、岐阜県、愛知県、京都府、大阪府、兵庫県、福岡県の一都二府八県となっています。武漢ウイルスは変異しながら、感染力も強め、陽性者が増えています。

東京都においても陽性者数はまだ多く、この状況の中で一番の問題は、自宅で療養している方々が亡くなってしまうということです。

佐藤　この状況は「日本」ではないですよ。国民皆保険で、病院に行けば診てもらえる、必要があれば入院できる。これがいままでの我々の感覚ですよね。

ところが現在は入院ができず、自宅療養をしなければならない。入院あるいはホテルでの療養を調整中の方が東京だけで六八〇〇人いる。入院したくてもできないのです。日本の医療としては異常事態です。ある意味、医療崩壊だという人もいます。

特に今日（一月二二日）衝撃だったのは、自分の娘にコロナをうつしたという責任を感じて自殺をされたお母さんの事件です。感染症の特性上、うつすことはあり得ますし、誰でもあり得ることですから、それが罪だとは絶対に思わないで欲しい。自宅療養では家庭内感染が起こりやすいですから、それで自殺という非常に痛ましい事件

佐藤正久

が発生してしまいました。

櫻井　このお母さんの相談にのってあげる人がいれば、あるいは自殺は防げたかもしれない。そういう意味では感染した方々への相談や助言体制の強化が必要です。

　松本先生、先生は千葉県にある日本医科大学千葉北総病院で救命救急センター長をされていますが、千葉県に自宅療養の方はどのくらいいらっしゃいますか。

松本　今日で三五〇〇人くらいですね。現在、新型コロナウイルス感染症は、指定感染症の二類相当になっていますから、陽性者は基本的には入院させるという方針になります。でも、全員を入院させることができないので、自宅で療養することになっていますね。

　現在起こっている問題について考えるべき

櫻井よしこ

ことは、結局のところ新型コロナとインフルエンザとでは何が違うのかという点です。両者の違いはワクチンと治療薬があるかどうかです。これらが一般の世の中にしっかり定着するようになれば、たぶん、いまのような問題は解消されるだろうと思います。

櫻井　いま自宅にいる人たちが、放置されている。放置されていると言うと言い過ぎかもしれませんが、自宅で容体が急変して亡くなってしまう。また、先ほどのお母さんのように、責任を感じて自ら命を絶ってしまうというようなことが起きています。

私の友人の柳井光子さんは老人ホーム「みどりの郷福楽園」を経営しているのですが、そこでクラスターが発生して高齢の陽性者がたくさん出てしまいました。何とか病院に入

松本尚

れていただきたいと保健所に掛け合ったら、保健所はもう全然、手一杯で、どこの病院にも紹介してもらえないという。放置する気は全くないのに、結果としてそういうことになってしまい、お年寄りが五人も亡くなってしまいました。経営者は非常に責任を感じている一方で、ご家族としては憤懣やる方ない。

先進国の日本が、なぜこういう状況に陥ってしまうのか。人口当たりのベッド数は日本は世界一でしょう。そして陽性者数も、重症者数も、死亡者数も、欧米諸国に比べると二桁少ない。それでなぜこういう状況になるのか。なぜなのでしょうか。

松本　問題点がたくさんあります。日本のベッド数は一六〇万床と言われていますが、その多くが回復期のリハビリや、慢性期、それから精神科の病床で、基本的にはいまの感染症の患者さんに対応するベッドではないのです。しかも、そういう病院は、ナース一人当たりに患者さんが二〇人とか二五人とか、非常に看護師さんが少ない配置になっています。そこにベッドが空いているからといって、感染症の患者さんを入れてしまうと、看護師さんがそもそも不足してしまうのです。

なぜそうなったか。これから日本では高齢者がどんどん増えていくので、急性期の病床を減らして回復期のリハビリの病院、慢性期の病床を増やしましょうという国策で動いてきたからです。ですから日本の病床のあり方はいまの急激な感染拡大に対応しにくい。そのような構造的な特徴が一つあると思います。

また、高齢者が入所する施設が、こういった感染症に対しては非常に脆弱なのです。感染症に対応できるような強靱な高齢者施設、福祉施設を作ってこなかったことも原因の一つです。

櫻井　強靱な福祉施設とはどんな施設ですか。

松本　具体的に言えば、自然災害で施設の電源が喪失するとか物資が不足した場合、あるいは今回のように施設内で感染が拡がった場合などを想定して、事業を継続するための計画を準備している、そして日頃から職員の訓練が行われている、そんな施設ですね。

それからもう一つ、忘れてはいけない問題があります。終の棲家として高齢者施設に入っている時に、コロナでの医療を希望するか、しないか。この問題を高齢者施設で確認しなくてはいけなくなっています。

例えば他の病気であれば、私はもうこのまま病院に行かなくてもいいと考えている高齢者やそのご家族がたくさんいらっしゃいます。しかし、コロナにかかると、いやいや、最後まで治療してください、やれることはみんなやってください、となってしまう。そうすると、最初に言っていたことと違いますよね、という話になります。

つまり「リビングウィル」、どういうふうに自分が最期を迎えるかを、欧米人のように日本人も考えてこなかったツケがいま回ってきていると私は考えています。

保健所がパンクしている理由

佐藤　その他にもいろいろな要因があると言われましたが、端的に言えば二つあります。一つは保健所、もう一つは入院施設です。まず保健所ですが、いま、何でも保健所ということになっているのです。私は、自民党の外交部会長として水際対策をしていますが、それも保健所。例えば二〇二〇年一二月の例で言うと、ビジネス関係者を除いても八万人くらいの人が海外から日本に入ってきています。その入国者には一四日間、自己管理で自宅、あるいはホテル等にいてもらいますが、その健康相談や毎日のチェックも保健所が行っています。

櫻井　八万人を。

佐藤　はい。国内感染者だけでなく、外から入ってきた人の一四日間の隔離関係も保健所が行っているのですよ。これはやはり民間の方に渡さないといけない。東京都も、いまの状況では保健所がパンクするので、多摩地区ではある程度、資格を持った方が集まる民間企業のサポートセンターにお願いをしています。保健所の負担を減らして、その部分を二三区や他の八王子にも広めましょうと、いまからやるそうなのです。保健所はあっぷあっぷなので、水際対策については民間でやれと言っているのですよ。保途中で症状が出たような人は保健所に渡せばいいと思いますが、無症状の方を含めてすべて保健所が毎日、電話連絡をするようではパンクします。

松本　実は、一九九五年くらいを境に、日本の保健所の数は五五％になっています。約八五〇くらいあったものが、いま四七〇くらい。保健所がものすごく減っていて、保健所の持つ能力が二〇年前と全然違ってきています。恐らく日本の保健所は、過去五〇年間でいま一番忙しい時だと思います。

保健所が減らされたのは市町村合併が一因ですが、今後もこのような感染症、あるいは自然災害と様々なことが起こることを考えると、災害時の健康を守るフロントラインとしての保健所の機能強化は、これから本格的に考える必要があると思います。

櫻井　自宅にいる方、高齢者の施設にいる方たちのお世話に関して、もっと開業医の方々が関与し、助けていくのは十分可能なのではないですか。

松本　可能だと思います。

櫻井　それがあまりいま、なされていないでしょう?

医師会は何をしているのか

松本　それでいま、「医師会は何をやっているのだ」という批判がすごく起こっています。やはり自宅療養している人たちをしっかりフォローアップして、症状が悪化した人たちをきちんと入院させていくルートを作らなくてはいけないのですが、それがかなり放ったらかしになっている状況があると思います。放ったらかしと言うと、一所懸命に健康管理をしている保健所の人たちに申し訳ないのですが、まだまだ不十分な状況です。

その原因は二つあって、一つはやはり保健所の業務が過多になっていること。これは濃厚接触者の調査などの業務が多いためです。神奈川県は濃厚接触者の調査をやめると言っていますが、そういうふうに少し方向転換しなくてはいけません。

もう一つはやはり、地域に根ざして仕事をしておられる開業医の先生が、「我々が自宅療養をしている患者さんをフォローしましょう」とお手伝いいただけると、非常にありがたいですね。自分のクリニックのかかりつけ患者さんが感染すると、電話をかけたりしてフォローしているらしいのですが、それ以外の人に関してはほとんど保健所が行っています。保健所の負担を減らすためには、地域の開業医の先生が市中にいる陽性の患者さんの体調変化を拾い上げて欲しいと思いますね。

櫻井　日本の医師の総数は約三二万七〇〇〇人。日本医師会の会員は約一七万三〇〇〇人で、そのうち開業医が約八万三〇〇〇人、勤務医が約八万四〇〇〇人。開業医と勤務医がほぼ半々を占めているわけです。

この開業医の方々が、自宅療養の軽症者に一日一回か二回、電話やリモートで状況を聞き、何か不都合があったらすぐに駆けつけたり、相談を受けたりする。これをしている方もいらっしゃるとは思いますが、もっと積極的に多くの開業医の方が加われば状況は変わりますね。

松本　かなり変わると思います。

佐藤　そうだと思います。ただ実際、小さなクリニック、診療所の医師の話を聞くと、やはり「実は自分の患者さんでもコロナ患者さんはあまり受け入れたくない」「受け入れられない」ということです。一般の患者さんとコロナ患者さん、発熱外来も動線が分かれていないからです。そういう面で、感染症にマッチングしていないような小さな開業医もたくさんいます。彼らからすると「できるだけ自分たちは、コロナ以外の方を重点的に診ます」ということになる。コロナ以外の患者さんも確かにいますからね。

ただ、そのような状況の中でも一般とコロナ、両方の患者を診ようという意欲を持たれている方は、やはり尊敬に値します。

コロナ患者を診るよう開業医に命令するのは難しい。ですから、日本医師会や病院協会などで啓発をしてもらわないと、なかなか難しい状況だとは思います。

櫻井　日本医師会の中川俊男会長は政治家に対して、〝上から目線〟と言われても仕方がないような強いことを仰っています。しかし、ご自分が会長を務める日本医師会の会員がコロナの軽症者のフォローアップをあまりしていない。これは、どうしたらいいのですか。

コマンド＆コントロールがない

松本　日本医師会は指揮命令系統がすごくしっかりしている組織だと一般の人は考えているようですが、実は医師会は開業医が主として組織する団体です。医師会の大事な目的は、地域の産業保健や学校保健の維持や推進、予防接種の実施などです。そういう面で、彼らがいなかったら困ることはたくさんあります。

もう一方で、所属する会員たちを守るのも医師会の役割です。開業医がもしコロナに感染して休業しなければならなくなった場合の補償問題などを詰めるのも医師会がやらなくてはならない。つまり、上意下達で医師会会長が「こうしろ」と言ったら、「はい、分かりました」と日本中の開業医たち、あるいは勤務医たちがそのとおりに動くという組織では決してないのですよ。

日本の医者は、医療全体を統べる、統治するというような組織の中には組み込まれていないのです。

櫻井　緊急事態宣言の在り方を見ても分かるように、日本は上意下達で動かす命令系統がある国柄ではありません。とりわけ戦後の日本国は、ＧＨＱによってそういった命令権はほとんど剥奪されたに等しいわけで、できないのです。でもこれは、人の命に関わることですから、医師の責任感や誇り、使命感で、もっと開業医の方々にやって欲しい。そう思いませんか。

佐藤　当然、思いますよ。ただ一方で、開業医の方の肩を持つわけではありませんが、彼らが地域医療の最前線にいるのは間違いないのです。地域医療の最前線は、コロナだけではないという現実もやはりあります。

　つまり、コロナもコロナ以外も両方診なければならないわけですから、日ごろから両方、診られるようなシステムをある程度作っておく必要があります。あるいは感染症専門のような、発熱外来を持った病院を、ある程度、地域ごとに持っておかなければならないのです。

　やはり小さな開業医でコロナ患者を診るよう言われても、実際にはなかなか難しい部分もありますから、感染症にマッチングするようなシステムが必要なのです。

　地域医療でも第一線部隊、その後ろを支える国公立部隊というような全体的な病院のシステムが、日本は機能していないと思います。ヨーロッパは特に国立系が多いのでもっと命令しやすいのですが、日本の場合は国立病院はかなり少なく、例えば東京都なら都が持つ病院が他県に比し圧倒的に多い。だから全体のバランスを考え、指揮命令系統を使って国が差配するということができていないのです。

松本　私はいろいろな自然災害でＤＭＡＴ（災害派遣医療チーム）として現場に行きま

したが、消防、警察、自衛隊は、指揮命令系統、コマンド&コントロール（司令官が部隊を指揮し、コントロールすること）がしっかりしているわけですよ。ところが医療はそれができない。そういうことは普段から感じているのですが、今回、全国的なレベルで日本の医療の仕組み、立て付けが、コマンド&コントロールのできない構造になっていることを、いやというほど思い知らされました。

医療資源が分散している

櫻井　二〇二一年一月二〇日の読売新聞一面トップは特ダネでした。〈都内14特定機能病院　重症者受け入れ　偏り　コロナ「3人未満」8病院〉という見出しで都内一四の特定機能病院のコロナ患者受け入れ実態を報道しています。〈都は重症者用として6床以上の確保を求めてきたが、1日平均6人以上を受け入れているのは2病院にとどまり、8病院は3人より少なかった〉

読売は例えば、一日平均で、六人以上受け入れているのは、まず、昭和大学病院が七・五人、東京医科歯科大学病院が六人だと報じています。あまり受け入れていないところもあります。

佐藤　やっとこの前、東京都が経営する病院のうち三つを実質的なコロナ専門病院に指定しましたね。

櫻井　広尾病院と豊島病院と荏原病院ですね。都立病院と都が出資する公社病院の一部を新型コロナウイルス対応の「重点医療機関」にするということです。

佐藤　それらの病院にもっと中等症以上のコロナ患者を集める。そして日本医師会が言うように、それ以外の病院に人員も含めて一般の患者さんを少し移す。そういう形の方が大事だと思います。

特定機能病院には、別の大事な役割があります。もしも自分や身内が脳梗塞や心筋梗塞、癌だったら特定機能病院に診てもらいたい。コロナのお陰で手術ができないと言われたら、それは不公平のような気がします。ですから役割分担で、特定機能病院にはある程度、八床なら八床くらい受け入れてもらい、後は触らない。それ以外の東京都関係の公立病院などをもう少し広げる方が、私は危機管理の観点からいいのではと思いますが、いかがですか。

松本　良い考えだと思います。実は千葉県でも県立病院のコロナ専門病院化や臨時病院の設置を提案していますが、うまく進んでいません。

佐藤　私はやはり、問題は医療資源が分散しすぎていることだと思うのですよ。

松本　そういう意見はありますね。すごく分散している。

佐藤　人材もそうですが、資材も含めて分散しています。分散させて少しずつが患者を診るのは、誰が考えても効率性が悪い。本来はもっと早い段階で、コロナ中心の病院をある程度指定しなければならなかった。そうしないからみんなが結局、疲弊してしまいました。

櫻井　佐藤さんが先ほど指摘されたように、東京都立病院が一四ある中で、小池百合子都知事がつい最近になって三つだけコロナ専門病院にしました。知事として小池さんはこうした措置を、もっと早く取らなければならなかった。

新型インフルエンザが蔓延した二〇〇九年の事例で、非常に興味深いと思ったことがあります。イギリスは人口が日本の半分くらいの国ですが、六つの専門病院を新型インフルエンザ専用病院にしたそうです。日本は、病院も医療機器も専門家も、分散していた。そして救命率を比べると、イギリスが七二%、日本は半分の三六%です。

イギリスの医療と日本の医療、どちらのレベルが高いのかと言えば、日本の方ではないのですか?

松本　そうは変わらないですよ。まず、劣ることはありません。

櫻井　なるほど、劣ることはない。しかし結果として、日本の救命率はイギリスの半分だったのです。ということは、イギリス政府が国策として六つの病院に、ドクターも医療機器も含めて、医療資源を全部集中させたことが大きいのではないでしょうか。患者も六つの施設に集中して入れて救命したということです。日本はそこができていない。

医療界の構造

松本　それができないのです。仮にやろうとした時に、問題がいくつかあります。例えばある一つの大きな公立病院を全部コロナ専門にしようと思ったとします。しかし、そこにはいろいろな診療科があります。その病院の医師たちには、感染症なんか診たことがない人もいるわけです。彼らも全部引っくるめて感染症を診ろと、誰が命令するのか。また、医師全員がそれに従うのか。先ほど述べた「上意下達」ですよね。医療の世界全体が、例えば院長が「診ろ」と言えば、ちゃんと診るようになっているかどうか。

また、例えば今回の新型コロナで昨年（二〇二〇年）、イギリスはアリーナにずらーっとベッドを並べてナイチンゲール病院という四〇〇〇床くらいの病院を作りましたが、あまり機能しなかったということがありました。なぜかと言うと、医師、看護師がなかなか集まらなかったのだと思います。昨年、千葉県でも幕張メッセに最大一〇〇〇床の臨時病院を作ろうというプランを立てたのですが、最後まで解決案が出なかったのは医師、看護師をどこから持ってくるかということだったのです。
患者さんを一カ所に集める。周りの病院はコロナの患者さんを診なくてもいいから医師、看護師を少しずつ提供だけする。そこで集まった人で、新しい臨時病院を運営する。こういうアイデアを私はいまでも持っていますが、では誰がどういう権限で人を動かすのかということが最後に問題になってくるのです。

佐藤　そこは本来、民間病院の出番、開業医の出番なのです。コロナ患者さんを集中させる指定病院は呼吸器系統が専門ということになるでしょう。するとそれ以外は、入院患者を含めて他の病院に移さないといけません。民間病院の方では逆にコロナを受け入れないわけですから、その分の人をコロナ専門になった指定病院に差し出す。しかし、そのようなシステムがないのですよ。やろうと思えばできるはずなのです。そこはまさに先ほど述べた使命感を含めた日本医師会、病院協会の方との東京都の調整。

松本　私はそこはなかなか、調整だけでは上手くいかないと思うんですよね。

櫻井　日本医師会と病院が、今頃になって相談しています。相談すること自体、否定しませんが、それにしてもこの一年間、何をしていたのか、と思います。

お金で医師を動かすのか

佐藤　まさにいま言ったアイデアを、今回やろうとしているのですよ。日本医師会は、ある大きな病院の方にコロナ患者を集めて、その大きな病院の方に入院している他の患者さんを、別の中クラスの病院に移しましょう、必要なスタッフも移しましょうと、この前、提案されましたよね。その提案ができるということは、ある程度、やろうと思ったらできるのだと、私はびっくりしたのです。できるのなら、もっと早くやってもいいと思う。そういう案が日本医師会から出てきたのです。

櫻井　しかも、菅内閣はお金なら出す。いま特定機能病院などにはコロナ重症患者用に空けておく病床一床当たり最大約四三万円を出すと金額を提示しています。

佐藤　新しく重症者用のベッドを確保してくれたら一床当たり一五〇〇万円です。普通の病床で四五〇〇万円。緊急事態宣言のエリアであれば四五〇〇万円上乗せになります。

櫻井　松本先生、こういった経済的援助はいいと思いますか？

松本　いいとは思いますが、でもこの事態が仮にこの先もダラダラ続いた時に、あるいは将来、また似たようなことがあった時に、その都度、政府は金を出すのかという話です。いまは仕方がないからいいですよ。

櫻井　いまは緊急事態ですから、多額の出費もある意味、受け入れられる。

松本　でも、この先も含めて、いつまでもお金で人を動かすやり方がいいのかと、私は疑問を持っています。

先ほど話したように、人、つまり医療スタッフをどうやって動かすかなのです。いまも話し合いでの調整に依存しているだけで、医師を統べる仕組みがない。やはりこれは法的な根拠をもって人を動かす仕組みをちゃんと作った方が、非常事態に議論なしにすぐに人が確保できると思います。即断、即決できるような緊急時の医療体制を作っていく方が筋は通っていると思います。

佐藤　法的な枠組みが本当は必要なのです。平時、通常時に、やはりネックになる病院の組合もありますから。

松本　都は特に組合が強いですね。

佐藤　そうなのです。だから、小池都知事もそこは相当苦労されていると聞きます。なかなか乗り越えることが難しくて、コロナを受け入れることにネガティブな反応を示している病院もあると。

櫻井　先ほど使命感と仰いましたが、やはりいまドクターもナースも含めて日本国民が、できることは何だろうと考えていかなければ、コロナ禍は克服できないでしょう。

コロナを撲滅することはできなくても克服していく。それにはみんなの協力が必要です。

情報の発信源が多すぎる

櫻井　菅総理は二月の下旬にもワクチン接種開始と述べています（編集注／二〇二一年二月一七日に接種を開始）。まず、医療関係者、それから高齢者、持病を持っている方というふうに優先順位を政府の方で決めています。ワクチンについては厚生労働省が最初、ファイザーなどと契約ができておらず、官邸が引き取って特別のチームを作り、購入契約に結びついた。その担当大臣に河野太郎さん（新型コロナウイルスワクチン接種担当大臣）がなったという一連の動きがありましたが、これについてどうですか。

佐藤　あまり格好いい話ではないと思いますよ。今回の司令塔が官邸なのか、厚労省なのかという問題があります。西村康稔氏は経済再生担当大臣ですから、感染症とは真逆の立場にいる人がいま新型コロナ対策担当大臣で、アクセルとブレーキを両方踏む係になってしまっているでしょう。加えて厚労省があり、さらにもう一人、河野大臣が出てくる。役人の方からすると相当、混乱する可能性があると思います。実際すでに、坂井学官房副長官の記者会見での発言と河野大臣の記者会見での発言が合っていないのです。

櫻井　どういうふうに合っていないのですか。

佐藤　例えば坂井官房副長官は、今年の前半（六月）までに全ての国民の分のワクチンの確保を見込んでいると昨日（二〇二一年一月二一日）、記者会見をしました。ところが河野大臣は今日（二二日）午前の会見で、あれは古い情報で間違っていると述べた。すると今度は坂井副長官が今日の午後の会見で、何でそういうことを河野大臣が言うのか分からないと。

これはリスクコミュニケーションとして非常に問題です。ワクチンは打ちたいという人もいれば、いま不安に思っている方もいるわけで、大事なことは、仮に二月一五日にファイザー社のワクチンを承認するのであれば、日本人に対してこのくらいの治験を行って、こういうデータだったので承認するというPRです。安全で有効だという安心感を与えるようなPRをいましないといけないのです。その時に、新しい司令塔が出てきて、その発言と他の発言が違っていたら、みんな迷ってしまいますよね。こういうちょっと良くない状況が今日出たので、発言を合わせないといけないと思います。

松本　このコロナ問題では、初期から政府のリスクコミュニケーションが非常に悪い。

どう対応するのかという大きなデザイン、戦略を描く人がいない。

櫻井　日本はリスク管理が苦手な国なのですね。

松本　そう。下手くそなのですよ。後でお話をしたいと思いますが、それが全然できていなくて、なおかつ、情報の発信源はたくさんある。いま佐藤議員が仰っただけでも三人の名前が出てきたわけです。

櫻井　新型コロナウイルスワクチン接種担当大臣の河野太郎さんと新型コロナ対策担当大臣の西村康稔さんと厚生労働大臣の田村憲久さんですね。

松本　これはよくない。やはり組織はシンプルで、情報を出す人の顔がちゃんと見えていて、なおかつ分かりやすく説明することが必要なのに、いろいろな人がポッ、ポッと出て話をするから大丈夫なのかな、となります。

黒子が情報発信？

櫻井　私が聞いたところでは、厚労省は、ファイザー社のワクチン買い付けや、それをどういうふうに日本の各部署に配るかという全体のロジスティクスについて、全く慣れていないということで、河野さんをトップに据えた。海外でのいろいろな人脈があるということもあるのでしょうが、彼に買い付けの契約からやってもらう。また、その運搬や分配のやり方まで含めて、河野さんが司令塔になって行う。縦割りを壊して、効率よく行うことが期待されているということでした。

松本　ワクチン接種だけを見ても、厚労省だけでなく多くの省庁が絡んでいますから、それを河野大臣が統括するのはいいのです。しかし、そうであれば統括の仕事だけに集中して、情報発信をしては駄目なのですよ。情報発信をしてしまうから問題が起こっている。それは厚労大臣の仕事ですからね。ワクチンについてどうかと聞かれたら「いや、私はまとめ役だけだから、細かいことについては厚労大臣に聞いてくれ」というのが筋なのです。だから本来、河野大臣は黒子にならないといけない。

櫻井　河野さんは黒子になるようなタイプではないですね（笑）。

佐藤　無理無理、絶対に無理です。どんどん、ツイッターを含めて発信する。

松本　でも、それは駄目なのですよ。

佐藤　菅総理が、なぜ河野さんを担当大臣にしたか。菅総理は国会答弁でも、情報発信に期待したいと述べていましたから。

松本　それはまずいのではないですかね。

佐藤　いま述べたように、いろいろな人が発信しますからね。実は彼はロジスティクス担当。本人が「ロジ担当」と言っています。今日、国会で野党からの「令和の壊し屋だ」という批判に対して「令和の運び屋になります」という答弁を河野大臣はしたくらいです。

そういう意味でも彼はやはり裏方なのですよ。厚労省によって、ワクチンの買い付けなどの大きな絵姿はだいたいできているのですよ。そのような中で彼の役割と、厚労省の役割が、いま非常に不明確になっている。いきなり担当大臣に河野氏を任命したから、厚労省も、昨日までワクチンをやっていた人間たちもびっくりしてしまった。だから、エッという感じで、非常にまだしっくりいっていない。そうなって二、三日の話なので仕方がないかもしれませんが、これがしっかりと回るように厚生労働省と内閣官房と河野さんの役割を明確にしないと、混乱が起きる。非常に難しい状況だと思います。

松本 佐藤さん、兵站をやる人は、そんな声が大きくなくてもいいでしょう。兵站は淡々と兵站をやるべきですよ。

佐藤 当然、そうなのですよ。しかし、兵站を行う人間に、今回、総理は情報発信を任務として命じましたから、どんどんすると思います。

ワクチンは防衛先端技術

櫻井　私の疑問は、なぜ、メイド・イン・ジャパンのワクチンを我々は打てないのかということです。日本はファイザーやモデルナなどの海外企業に頼り切りです。もちろん、日本企業が関わっている部分もあるでしょうが、基本的には外国の企業です。アメリカ企業やヨーロッパ企業ならまだしも買ってもらってもいいと思いますが、中国やロシアのワクチン供給などの話さえある。どうかと思います。これら外国に頼るのではなく、日本人用のワクチンくらいは日本国で作るのが当然でしょう。それだけの技術は我が国にもあるのですから。それなのに日本でワクチンができていない。深刻な問題ですね。

松本　それは間違いなく、平時から科学技術に対する投資がやはり少ないからですよ。ポストドクター（博士課程修了の研究者）の仕事がないというくらい、科学技術にお金を投入していないのです。だからこういった時に非常に短い間にワクチンを作れる人材や企業がないのです。ここが一番の弱みだと思います。平時の投資の結果がいまそのまま返ってきている。有事も見越して、普段から投資をしていかなければならないのだと思います。

櫻井　アメリカには国防総省に国防高等研究計画局（ＤＡＲＰＡ）があります。一九五七年にソビエトがスプートニクを打ち上げた時に、アメリカが遅れてしまい、これは大変だとなった。そこでアメリカはＤＡＲＰＡの前身であるＡＲＰＡをスプートニクの翌年、五八年に設立したのです。七二年にＤＡＲＰＡに改称されました。ＤＡＲＰＡの使命は米軍の技術優位性の維持と、国家安全保障を脅かす「技術的サプライズ」の防止です。彼らは「極めてハイリスクであるがインパクトの大きい研究開発」に大きなお金を注ぎ込んでいます。その予算は国防総省の科学技術予算の約二五％を占めています。

ＤＡＲＰＡが支援した研究から、インターネットやＧＰＳ、掃除ロボットのルンバ、アップル社の音声アシスタントアプリ「Ｓｉｒｉ」、ステルス戦闘機のステルス技術や、ドローン技術などが生まれた。すごいことですよね。

彼らがワクチンに注目し始めたのは冷戦が終わった後で、独裁国家やテロ組織が「貧者の兵器」という安上がりの生物化学兵器を持つことに対処するためでした。生物化学兵器に攻撃された場合に、国を守り、国民を守り、軍人を守るためのワクチン開発に焦点を当てて大きな支援をし始めた。そのような土台があったからこそ、今回、驚くほど早いスピードでワクチンができました。でも日本にはそういう発想がない。

佐藤　やはり軍に関わりたくないというのが、大学にいまでもありますよね。政府の中には先端技術関係の会議がありますが、防衛大臣はそのメンバーですらありませんから。

櫻井　えっ、先端技術に関する会議に防衛大臣が入っていない。

佐藤　メンバーではないのですよ。そこはアメリカと全然違うのです。アメリカの場合、軍が技術を持っていて、そこから民間の方にどんどん転用するという発想がありますが、日本の場合は軍事技術にあまり関わりたくないという戦後の文化がずっとありました。

軍アレルギー

佐藤　宇宙だって最近ですよ。宇宙に関する技術で、やっと自衛隊とＪＡＸＡ（宇宙航空研究開発機構）が少し連携し始めていますが、いままでは宇宙の軍事利用は駄目だということでした。原子力も平和利用に限るなど、どちらかというと距離を置く状況だった。同じように生物関係の兵器の研究などは、日本はほとんどやっていないでしょう。戦前に日本がその研究をした資料をみんなアメリカが持って行ってしまって。

櫻井　敗戦で持って行かれた。

佐藤　生物兵器も感染症も、あるいはバイオテロも、実は元々の研究は同じです。でも科学技術研究が軍事から距離を置いているとなかなかそれらが噛み合いにくい。ワクチンについては、アメリカのワクチン開発とはやり方が違うという部分もありますが、一番、私が辛いなと思ったのは、感染者が少ないということですよ。

櫻井　本当に。感染者数が非常に少ないのは嬉しいことですが、ワクチン開発にとっては不利になる。皮肉ですね。

佐藤　中国の武漢などは、あれだけ感染者がいましたよね。ですから疫学的な情報が蓄積されていて、ワクチンを作るための環境としてはものすごくいいわけです。それを使って中国はワクチンをどんどん作って、ワクチン外交を行っている。やはり感染者が少ないと、なかなかワクチン開発を行う環境が、中国やアメリカと比べるとどうしても劣ってしまうという部分はあるのかなと思います。

松本　痛し痒しですね。

佐藤　実は国立感染症研究所も国立国際医療研究センターも、元々の生い立ちを言えば陸軍です。いまは全然、関係がなくなっていますが、元々は陸軍の医療関係の部隊、研究所から分かれている。実はアメリカのＣＤＣ（米国疾病予防管理センター）も、元々は第二次世界大戦の時の米海軍の医療部隊がその仕事の受け皿として作ったのが前身ですから、軍と一体なのです。

櫻井　日本はその軍と一体という発想を忌み嫌う。だから軍と一体となって、医療や他の分野に科学技術を広げていくという政策が取れない。それでも日本は、ここから前に進まなければならない。何をすべきだと思いますか。

佐藤　大本は憲法からということになりますが、法律レベルでもやれることはたくさんあります。日本学術会議の件もありましたが、どこかで軍事忌避を打ち破らないといけません。いまは若い人を含めて、結構、軍に対してのアレルギーは少ないと思います。もっともっと官邸主導でそういう部分を打ち破っていく法律を作っていかないと、これはなかなか変わらないと思います。

例の外国人の土地購入問題も、やっとでしょう。全然打ち破れない。日本は安全保障に対して、やはりどうしても躊躇する部分があるのですね。

トリアージを行っている

櫻井　眼前のコロナですが、日本はいま医療崩壊になっていると、日本医師会が言っています。そう考えるべきなのですか。

松本　私は医療崩壊にはなっていないと思います。というのは、救急医療も含めて一般の医療まで、酷く侵食されているような状況ではないからです。少なくとも、コロナ以外の助かる人が助からなかったというケースが多く出ていないのであれば、まだそこまで言う必要はないのかなと思っています。

佐藤　戦争時のトリアージ、いわゆる命の選別みたいになってしまったら、まさに医療崩壊ですね。

松本　感染患者数と感染者用のベッド数の比較で考えれば、実はもう私がいる千葉県の医療調整本部の中では、選別はしています。

佐藤　戦争でのトリアージだとどんどん切り捨てるわけですよ。お年寄りはもうごめんなさい、と命が助からないのが戦争時のトリアージ。イギリスはもういまそれをしている。

松本　それに近い基準を決めて千葉県でもすでにトリアージを行っています。

櫻井　松本先生のところはすでに戦時のようなトリアージを行っている。英語でトリアージと言えば、何となく意味が薄れて、状況の切実さが伝わらないと思うのです。つまり、助けられない人の特定、切り捨てを行っている。助けられる人から助けている、という言い方もできますね。要は全員を助けることはできない状況だということですね。

佐藤　でも神奈川県のトリアージは逆なのですよ。神奈川は高齢者で何歳以上はいくつと点数制になっていて、五点以上になると入院ができるというような仕組みです。

する と高齢者の方が、若い人よりも、いまの状況では点数が高くなる。つまり優先して助けることになっています。これは自衛隊の戦時のトリアージとは違ったものですね。

松本　千葉県は神奈川県の行っているものからもう一段階、二段階のルールを追加して、若い人の優先順位を上げさせてもらっています。

櫻井　イギリスの健康保険の実態を調べたことがあるのですが、驚いたのは、例えば人工透析はお金がかかりますよね。日本では、初めて人工透析する方が六〇歳代であろうが、七〇歳代、八〇歳代であろうが、人工透析を行います。イギリスは私が調べた数年前は、五〇歳以上だったと思いますが、一定の年齢以上の人が初めて人工透析をする時は、保険適用外というのが暗黙の了解だと説明されました。自費でやってくださいということでした。

イギリス国民が納得してそうしているのでしょうが、国によって考え方が違う。日本の中でも、神奈川と千葉は多少違う。こういった選択をどう行っていくのか。医療資源がどのくらいあるか、どのくらい医療が逼迫しているか、どれだけお金がかかるのかも参考にしながらみんなが考えなければいけない問題ですね。

松本　そうです。これは災害なので、医療リソースをいかに有効に使うかを考えなくてはいけないのです。トリアージはある程度、国民の皆さんにはそういうものだと、ご理解いただかないといけない。

櫻井　武漢ウイルスに始まりさまざまな変異株が広がるいま、日本人全員が自分で自分を守らなければなりません。手洗いやマスク、密を避ける。これを実践する。一人一人の努力が基本です。

医療逼迫の下で、例えば感染症法上のコロナの類型変更やアビガンの承認などについてはどうお考えですか。

厚労省の壁

松本　類型変更については、二類相当から何を抜くかが大事です。つまり保健所などの負担を減らすことが重要なので、まずその議論を政府にはやって欲しいと思います。

佐藤　これは、専門家会議でも意見が分かれているところなのです。いまコロナは二類相当の指定感染症なので、入院もタダです。これを杓子定規に五類に落としてしまったら自分でお金を払って入院することになってしまいます。

松本　その議論はよく聞きますが、でもそれは政令でも何でも、お金は補助しますよとしてしまえば、いいだけではないですか。

佐藤　そこは政令の出し方ですね。単純にやってしまうとそうなるので。だから二類相当のどの部分を抜いて、どの部分を付け足すかですが、専門家会議の方の意見はいろいろと分かれていて、そこまで行っていない。どちらかというと専門家会議では実は見直しに否定的な意見が多いという話を我々は聞いています。

櫻井　そのような姿勢が専門家会議で目立つのは特定の専門家の方々が多く入っているからではありませんか。もう少し幅広く現実を見て考えてくださる方を選ばないといけない。今の専門家会議は正直言って、少し偏っていませんか。もっと現実的に処理しなければ行き詰ります。

佐藤　保健所の負担がこのままだとそうです。先ほど述べたように、民間を使わないといまでもあっぷあっぷですからね。それを含めてどこの部分を抜いて、その抜いた分、どこを増やすかと、本当は柔軟に考えないといけない。なかなかマッチングしていないのですよ。コロナは「二類相当」で二類ではありません。「相当」というのは役人が使う頭のいい言葉なのですが、非常に中途半端な感じで、実際と法律で決まっている立て付けが合っていない部分は、いま言われたように間違いなくあります。

櫻井　それからアビガンの認可。アビガンを使って効いたという人が実際にいるわけですね。早期の段階でアビガンを使うとすごく効くと。

松本　そういう声は現場ではたくさん聞いています。ところが厚労省に言わせると、証拠、エビデンスがまだ弱いというふうになる。

櫻井　では、エビデンスをどのくらい見つければいいのですかという話です。

松本　例えば、エビデンスがないと次に進めないようでは、非常事態には決定が遅くなる。使えるものはどんどん使っていって、駄目だったものを抜いていくというやり方の方が非常時には役に立つのです。例えば尖閣に中国軍が上陸したらしいという情報があったら、取り返しに行きますよね。「いやいや、エビデンスがありませんから」といって、五星紅旗が尖閣に立っているのを写真で確認しないと取り返しに行かないというのでは遅いでしょう。それと同じです。そもそもアビガンはインフルエンザのために作っている薬なので、その辺の怪しい薬とは違いますから。

櫻井　それを武漢ウイルスに対しては全然認めないという。本当に理解し難い。

松本　どうしてやらないのか分からないです。

佐藤　安倍総理も期待したアビガンだったのですが、厚生労働省の「十分な効果が証明できない」という壁をいまだに乗り越えることができません。インフルエンザではいいけれども、新型コロナとなると現実として厚生労働省が認可をしていないという状況。

櫻井　いまは有事です。国難の中に私たちはいるわけですから、臨機応変に考えないこと自体がおかしいでしょう。

佐藤　問題は他にもたくさんあります。水際対策についても、もっと自民党が有事だと考えていたら、と思います。こんなに緩い水際はないのではないですか。いま置かれている軸が、やはり違うのかもしれないですね。有事だと思うのであれば、本来、水際対策も厚労省がもっと強く言うべきなのです。権益の壁にいま非常に苦労しています。

（二〇二一年一月二二日放送）

第6章　天安門事件の教訓

田久保忠衛×櫻井よしこ

田久保忠衛（たくぼ・ただえ）

杏林大学名誉教授。一九三三年千葉県生まれ。五六年早稲田大学法学部卒業後、時事通信社入社。ハンブルク特派員、那覇支局長、ワシントン支局長、編集総務兼外信部長、ウッドローウイルソン国際学術研究所客員研究員、編集局次長兼解説委員を経て、八四年退社。同年杏林大学社会科学部教授（国際関係論、国際政治学）。九二年より社会科学部長、九三年より大学院国際協力研究科長を兼任。二〇〇二年より総合政策学部および大学院国際協力研究科教授。一〇年から同大名誉教授。第一二回正論大賞受賞。国家基本問題研究所副理事長。日本会議会長。産経新聞の「国民の憲法」起草委員長も務めた。著書に『戦略家ニクソン』（中公新書）、『アメリカの戦争』（恒文社）、『激流世界を生きて―わが師、わが友、わが後輩』（並木書房）など多数。

「海警法」は計画的な一歩

櫻井　米バイデン政権下の国際情勢はどうなるのか。昨日（二〇二一［令和三］年一月二八日）の未明、菅義偉総理大臣とバイデン大統領が、電話会談でさまざまなことを論じました。今回はこの問題を、国家基本問題研究所副理事長の田久保忠衛さんと共に考えてみます。

田久保さん、菅総理とバイデン大統領、昨日未明に電話会談をしました。例えば尖閣に日米安保条約第五条は適用されるということ、新型コロナウイルスや気候変動などについて語り合いました。首脳会談についてどうお考えですか。

田久保　まず、ワシントンから地球全体に目を向けた場合に、重要な国はどこか。日本の菅首相との会談はバイデン大統領にとって七番目でした。ただし、アジアでは最初でした。やはり日本をアジアで最も重視していると見ていいだろうと思います。世界で七番目というのも、まあまあ順当だろうと。ワシントンが日本をどう見ているかが、これで窺えます。

それから会議の内容ですが、安保条約第五条に尖閣列島を含めるかどうかについて、バイデン大統領の方から言って下さったから、これは日本にとってはありがたいことです。

田久保忠衛

次にコロナで一緒に協力しましょう、それから地球温暖化問題も一所懸命にやりましょう、との話が出ました。これは誰も反対しないような立派なことだと思うけれども、肝心なすぐ隣の中国と韓国についてはどういう意見交換があったのか、なかったのか、この辺がはっきりしない。アメリカが日本を見る目はいいけれども、話した内容の肝心なところが抜け落ちているのではないかと私は思います。

そして、尖閣という自分の国の島を守るのに、まず第一にわれわれがこうする、というのではなくて、アメリカにお願いせざるを得ないような不思議な立場に、日本は自分で自分を押し込めつつあるところがどうも悲しいなと思います。

櫻井よしこ

櫻井　尖閣に安保第五条を適用することについては、バイデン大統領とも、ブリンケン国務長官とも日本は話しているわけですね。これを日本政府も強調しますし、メディアもデカデカと見出しに取ったりします。でも「第五条を適用してもらえる」という発想そのものが、バイデン政権下でこれからも通用するのか、国際情勢の中で通用するのかと考えなければならない。日本の国防は私たち日本人が考えなければいけない課題ですね。

田久保　そうですね。ご承知のように、尖閣列島問題は七〇年に発生したものです。ちょうど半世紀経つのです。細かいことながら、それこそ一ミリずつ中国は既成事実をこの島に照準をあて、実効支配の実績をずっと積み上げてきている。

つい先日、中国の海警局が、武器の使用を可能にする法律を成立させました。これは、物騒なものを警察が持ったということではなくて、半世紀の間、中国がいろいろなことをやってきた中で、延長線上の一つが海警局に武器を持たせるということなのです。これで日本は少しでも怯む、心理的に震え上がる。つまり、これも既成事実を一歩先に推し進めてきたのではないか、と私は思っているのです。ですから海警法改正は単なる法律改正の問題ではない。非常に侵略性の強い、計画的な第一歩が打たれてきたと思うのです。

櫻井　中国の海警は、表向きはコーストガードという位置づけですが、事実上、軍隊の一部になった。新たな〝資格〟で尖閣を攻めてくる。

しかしいまの中国外交を見ると、日本にすごく優しい。微笑み外交です。日本と中国の関係は中国の胸先三寸で、いつでも大きく変わるわけです。安定したよい関係がずっと続くと考えてはならないと思います。他方、アメリカと中国の関係は、両国の力関係を軸にいつも相互に作用し合っています。そのような米中関係如何が中国の対日政策の基本となる。日米中の三国関係を形作る伝統的なパターンですね。

日米関係は日中関係

田久保　そうです。戦前、日本に同盟通信という国策通信社がありました。その前身の新聞聯合社上海支局長で松本重治さんという方がいらした。中国通で米国通だったこの人が「日米関係は日中関係である」と書いています。

松本重治さんは、蔣介石が西安で張学良に監禁される「西安事件」の世界的大スクープをやりました。松本さんが中国中にクモの網のようにめぐらしたネットワーク、ニュースソースがあった。

さらに松本さんはアメリカで勉強されて、チャールズ・ビアードという当時のアメリカの歴史学界の泰斗のお弟子さんだったのでアメリカもよく知っている。ビアードは日米戦争の経過を学者として詳細に分析して、日本は悪くないと一番先に言った人なのです。

この松本さんが、『上海時代 ジャーナリストの回想』(上下、中公文庫)という本の他に、『近衛時代 ジャーナリストの回想』という上下の名著を中央公論社から出しておられる。そこではっきり言っているのです。日米関係は日中関係である、と。これは中見出しにもなっています。あの同盟通信にいた頃から六〇年間、考え続けてきたのは、日米関係イコール日中関係である、ということだと。

これは面白い含蓄があると思うのです。つまり、日米中はベル一つを押すとみなリンリンと鳴る、と。日米中が連動しているのですね。従って、アメリカと中国の関係が悪い時は、日本とアメリカの関係はよろしい。アメリカと中国の関係がよくなった時は、日本は非常に困る。この典型的な例は、ニクソンが訪中した時に、慌てた日本の状態を見ればすぐわかります。というわけで、「日米中はお互いに連動した関係である」は真理だと思いますね。

櫻井 その伝でいくと、いま日本に対して中国が非常に前向きにアプローチしているということは、米中関係が最悪の状況になったからですね。そしていま、バイデン政権が成立した。新しい政権の下でアメリカを中心とする世界情勢がどう変わるか、いまのところ、まだはっきりと見えてこない。けれども、私たちは大変な不安を抱いています。その中で、中国が微笑外交を日本に対して仕掛けてくる。

この現在の状況を、田久保さんは、天安門事件の時の日米中の関係と似ていると仰っていますね。

田久保　そうです。

櫻井　天安門事件は一九八九年六月。当時のアメリカの大統領はお父さんの方のブッシュさんです。そして安全保障問題担当の大統領補佐官はスコウクロフト。当時の中国のトップは鄧小平でした。この天安門事件の時の状況からまずお話しいただけますか。

天安門事件後に米国密使

田久保　天安門事件は、数百人あるいは数千人ともいわれる学生が天安門前に集まって、平和的なデモをやっていたのに、そこに軍隊が攻撃を加えたのですね。

櫻井　田久保さん、私は天安門に、事件勃発直前までいたのです。

田久保　そうですか。

櫻井　学生は本当に整然と並んで、具合の悪くなった人たちが運び出される通路もちゃんと開けて、全然、武力とか、暴力的なことはしていなかったのですよ。

田久保　そうですか。私もあの日は、よく覚えています。実は当時、ＴＢＳで『日曜放談』という番組をやっていました。まさに事件のあの日は外交官ＯＢの曽野明さんと私の番だったのです。早朝、局から迎えに来た車に乗って、ニュースを入れたら、パンパンパンパンと小銃の音です。リポーターは、いま、撃ち始めましたと興奮していた。スタジオに入ってからは、二人で並んで、人民解放軍が人民に発砲するのかと、この話であっという間に三〇分経ちました。だから私にとっても忘れられないです。

櫻井　衝撃的なことがあの場で起きて、世界中はびっくりしたわけですよね。人民解放軍がそれこそ人民に向かって、水平に銃を構えて、戦車を繰り出して、轢き殺して、凄まじい惨事があったわけです。

田久保　それで世界中が、この非人道的なやり方は何たることかとものすごく怒りまくったわけですよ。でも、アメリカもそうだ、日本もそうだと思っていたら、日本は最初から中国非難をやる気がなかった。これは二〇二〇年一二月二三日に外務省が公開した当時の外交文書の中に明確に書いてある。

そしてアメリカは天安門事件の翌七月に、ジョージ・Ｈ・Ｗ・ブッシュ大統領がスコウクロフト大統領補佐官とイーグルバーガー国務副長官の二人を密かに北京に派遣し、鄧小平に面会させています。

櫻井　ブッシュ大統領は、内密にスコウクロフトたちを送ったわけですね。世界は中国に対して怒り狂っていて、経済制裁をやろうと言っていたところに、ブッシュさんの密使が北京に行き、何とか解決しようとした。

アメリカの対中政策を少し振り返っていただけますか。

歴代大統領の〝関与政策〟

田久保　中国を国際社会に引き出した一番最初の人物はニクソン大統領なのです。その次がカーター大統領で、その次がレーガン大統領。それからブッシュ大統領と、こうなってくるのです。みんな中国を国際社会に引き入れるわけですが、このやり方を一般的に、「関与政策」と言います。

「関与政策」はニクソンから行ったものの、各大統領によって目的、つまり腹の中が全部違う。ただ、誰も「関与政策」なんてことを言った大統領はいないのです。唯一、ブッシュ大統領（父）の時に、ベーカー国務長官が国際問題専門誌『フォーリンアフェアーズ』に実に見事な論文を書いた。関与政策とは何かという「関与」の定義から、具体的にこういうことをやるのだと、かなり長い文章を書いています。以後「関与政策」とは、正式に文書化されたこのブッシュ政権以降を指します。

櫻井　アメリカはニクソン以降、歴代大統領が目的の異なる〝関与政策〟を実質的に行ってきたということですね。

田久保　そう言われているのですが、まず、ニクソンはそんな単純ではない。当時、彼の頭の中にあったのは、中国は貧乏な小さな国で、毛沢東、周恩来という大変なカリスマ性を持った人物二人が率いている。これを何とか利用するということ。

当時、最大の敵は何と言ってもソ連で、冷戦が最も激しかった時です。中国はアメリカと手を組んだぞと言うだけで、これはもうソ連を迷わせることができるぞと。同時に、中国のいわば支配下にあるベトナム、そのベトナム戦争を抑えることができるぞと、一石二鳥を考えたのですよ。

櫻井　それがニクソンだった。

田久保　そうです。カーターの時は、カーターの軍師であるズビグニュー・ブレジンスキー大統領補佐官が大変なソ連嫌いのポーランド系アメリカ人。彼はコロンビア大学の教授でソ連政治の研究をしていました。この人は、とにもかくにもソ連を叩くためには、中国を強くするという考え。つまり中国に武器を与えてソ連を叩いてしまえという考えで、目的がニクソンと違うのですよ。

それからブッシュ大統領（父）は米中が国交を樹立する前に、北京でＣＩＡの連絡事務所長をやっていました。しかもその時に、通訳に使っていたのは、後に外交担当の国務委員になった楊潔篪(ようけっち)。

櫻井　ブッシュ大統領は楊潔篪を通訳に使っていたのですか。

田久保　彼は人脈があるので、自分が大統領になった時に、必ずこの大きなマーケットを確保し、親しい中国人を利用して米中関係を盤石のものにできると自信を持っていたのです。

したがって、天安門事件のように一番中国が苦しい時に、我が方だけは密使を出しますよと。これは西側にとっては裏切りだけれども、鄧小平に対して、おいおい、何をやっているのだ、しっかりしろよと、力づけるつもりでやったらしい。

それから、もっと次元が低い勘繰りですが、密使として中国に行ったスコウクロフトとイーグルバーガー国務副長官の二人は、内閣に入る前にキッシンジャー・アソシエイツというキッシンジャーがやっている会社に属していたというのですよ。キッシンジャーは全収入のうちの五％は中国から得ているというようなことを公然と言っていたので、お金絡みではないかという話もある。

ただしこれは勘繰りであって、本当のところはブッシュ大統領は米中を長期的によくしようと思っていたのではないかと。

櫻井　お父さんの方のブッシュ大統領は、自分は常に中国から「古い友人」と呼ばれていると自負し、そのことをものすごく誇りに思っていたそうですね。中国が「古い友人」と呼ぶのは、本当に信頼している友人で、最高級の褒め言葉だと私たちは解釈しています。ブッシュ大統領は、自分は中国から信頼されていて、自分ほど中国を知っている人間はいないとある意味、自信を持っていたのでしょうね。

田久保　日本の田中角栄さんも「古い友人」だといって、中国人は角さんがいなくなった後でも、お線香をあげに行ったりしている。これは本当の気持ちからやっているのか、策略の上でやっているか、よく分からない。しかし中国が古いしきたりで縁を大事にする国だということは忘れてはいけない。これがいい目的ならいいけれども、悪い目的もかなり混じっていると見られてしまうのですね。

日本外交は卑屈だった

櫻井　ブッシュ大統領はそのように、秘密裏にスコウクロフト大統領補佐官などを北京に送り込んで、鄧小平と話をさせた。

日本もまた、外務省レベルで、中国に恥をかかせてはいけない、面子を潰してはならないと、こちらの方は極めて浅い考え方で中国にアプローチをしました。そのことは二〇年末に発表された外務省の機密文書でもはっきりと書かれています。読んでみると、情けないくらいの揉み手外交です。

田久保　日本だけは中国に対していい子になろうと、卑屈。そして西側の民主主義国に対する裏切りですね。よく恥ずかしくもなくこういう外交ができたなと思いますよ。

櫻井　八九年天安門事件の翌月、七月中旬にパリのアルシュで行われた先進七カ国のアルシュ・サミットで、宇野宗佑総理大臣が先進七カ国の首脳の中でただ一人、中国に対する非難宣言に反対論を言った。宣言に「中国を孤立させない」と挿入するように主張したわけです。他の国々の首相は日本はやる気がないのだと見た。

でも、ここで私たちが覚えておくべきことは、アメリカもその時、中国に密使を送っていたということです。一方でアメリカは国際社会に対しても、日本に対しても、中国を制裁しようと動いています。裏ではアメリカは、西側諸国に対する裏切りも行っていたわけですね。

我が国はもちろん西側諸国を裏切っていますが、それを表に出してしまう日本と、出さない米国という違いがありますね。

田久保　アメリカもよく見ると、これは後講釈になるのですが、当時の声明は少し柔らかいかなという感じはするのですね。それでもアメリカはやはり中国に対抗できるしたたかさを持っている。

日本はこのアルシュ・サミット以前に中国にコンタクトして、俺たちが上手く取り仕切ってやるよと、裏取引を行っているのですよ。この理由は、二つあると思います。一つは罪の意識。「戦前、中国を侵略した」という罪の意識が禍（わざわい）している。これを何とかしなくてはいけない。もう一つは、中国に対して外交では多少、兄貴分だよという意識が当時はあったのです。

櫻井　日本がですか？

田久保　日本が。栗山尚一（たかかず）氏という当時の外務審議官。後で宮内庁に入りました。外務省の最高の論客だったのですが、この人が、このアルシュ・サミットの前、天安門事件が起こった翌々日か翌日くらいに「栗山ペーパー」という極秘ペーパーを書くのです。ここに、内政問題に介入してはいけないと書いてある。

櫻井　天安門は中国の内政問題。

田久保　そういうことです。これは非常に単純でどうしようもない考え方。だからこそ、後に銭其琛（せんきしん）という中国の当時の外務大臣が、中国は全部、国際的に囲まれたが、この中で一番弱いのはどこであろう、これは東京であると、こう回想録に書いているでしょう。ずばり、そこをやられたわけですよ。そして後にこれは天皇ご訪中になっていくわけですね。

日本を狙って道を開く

櫻井　ここで天安門事件をめぐる日中関係を見てみます。

【天安門事件をめぐる日中関係】

・一九八九（平成元）年
四月　中国の胡耀邦前共産党総書記死去
六月　天安門事件発生。民主化を求める学生らを武力弾圧
七月　米国、秘密裏にスコウクロフトを北京に派遣
七月　仏アルシュでの先進七カ国首脳会議（G7サミット）が中国の人権抑圧を非難
九月　日本が超党派訪中団を派遣
・一九九〇年
一月　中国が戒厳令解除、日本は対中円借款凍結解除へ中国側と協議
七月　海部俊樹首相、米ヒューストン・サミットで対中円借款凍結解除の意向
・一九九一年

八月　海部首相が訪中
・一九九二年
四月　江沢民総書記来日
一〇月　天皇皇后両陛下中国ご訪問

八九年六月に天安門事件が起きて、その翌年にはもう海部首相がヒューストン・サミットで、中国に対する経済制裁を日本は解除しますという意向を表明しています。そしてその翌年には海部首相が訪中、その翌年には江沢民総書記が日本に来て、その年に天皇皇后両陛下に中国をご訪問していただくというような流れになったわけですね。

もうひとつ見ておくべきことは、実はアメリカはフィリピンの基地、スービックとクラークの二つの大きな基地を九一年に諦めました。するとその空白を目掛けて中国は即南シナ海のフィリピンが領有権を主張するミスチーフ島にやってきます。九二年二月には領海法という新しい法律を作り、尖閣諸島は中国の領土であると宣言したわけです。我が国の領土を、中国の国内法とはいえ、自分のものだと言ってむしり取ろうとした。その国に妥協して、同年一〇月に天皇皇后両陛下に中国までお出で願うという卑屈な外交をした。
　日本の外交は非常に情けないし卑屈です。一方でアメリカ外交は非常にしたたかでありながら、中国が南シナ海侵略の歩を進めることを許している。アメリカ外交の全体像もきちんと見る必要がありますね。

田久保　そうです。中国は天安門事件の時は、日本に狙いをつけて天皇訪中で孤立を脱する道を開いた。いままた、実に国際的に困っているのですよ。特に中国を締め上げるトランプ政権が四年間、滅茶苦茶に貿易で叩いていたでしょう。その他、政治、経済、軍事、宗教、人権、それから技術、こういう面で中国をグーッと締め上げた。これで悲鳴を上げたのです。
　そこでまた中国は日本に狙いをつけてきたなというふうに思う。そのトランプ政権の前から、習近平の訪日という話が日中間にあったのだけれども、中国が困るにつれて、次第に訪日実現の勢いをさらに増してきたわけです。

「天皇陛下訪中」を政治利用

櫻井　今、中国はまたもや日本に狙いをつけている。日本に狙いをつけて、天皇皇后両陛下にも狙いをつけていると、私たちは見て取らなければいけませんね。

習近平国家主席の国賓訪日がずっと言われて、いまはこの話は一応されていませんけれども、習近平主席が日本に国賓として来れば、そのお返しに、天皇皇后両陛下のご訪中が、当然の筋として考えられるわけですね。そこのところを、中国がいま狙っている。

田久保　そうです。

櫻井　それによってまた中国が国際社会に復帰する。そういったことの一つのステップにしたいということです。私たちはこの危険性を忘れてはならない。

田久保　そう。相当警戒しないと、天皇の政治利用ということで、国際的に問題なだけではなくて日本の中でも、これは最高指導者の責任を問われるような重大事態になりかねないと思いますよ。

陛下が答礼として行かれるのは、これは礼儀ですからね。その場合に、どういうリアクションが起こるかというと、その後に中国がいろいろな国を指さして「お前のところ、来ないか。俺も行くよ」と、訪問外交をする。その時に、「日本は天皇皇后両陛下がいらしたのだよ。どうしてお前のところは来ないいんだ」と、こういうことになるでしょう。政治的に使われてしまうという、この恐ろしさですね。

櫻井　天安門の後の天皇皇后両陛下ご訪中に関しても、いまでも覚えていますけれども、外務省が親中派議員と一緒に遮二無二になって実現させようとしましたね。あの時、ずい分いろいろな人たちが反対しましたが、日本政府はついに断行してしまった。同じことをまたさせてはいけない。

田久保　あの時は、駐中国大使、それから外務省のアジア局長、中国課長、この三人が。

櫻井　日本の議員たちにロビー活動をしたのですよね。

田久保　そう。その後に総理大臣、外務大臣、その他がワーッとまた追っかけ始めたのです。もう、どうにもならなかった。

当時、産経新聞のブチ抜きで、「天皇陛下ご訪中に反対します」という新聞広告(二六九ページ参照)が出たのです。宇野精一さんという東大名誉教授、木内信胤さんという経済評論家などがズラッと並んで、瀬島龍三さんのように政府に近いと言われる人まで名前を挙げて反対したのです。これはすごいなと私は若い時に思ったけれども、結局、少数の頭の固い保守派の反対ということで切り捨てられ、忘れ去られた。これをよく参考にしないといけないと私は思っております。

ネズミは猫の様子を見ている

田久保　バイデン大統領は就任演説の前に、『フォーリンアフェアーズ』に論文を書いているのですよ。これに、自分は中国に対して批判的だけれども、三つの点でコンタクトが必要だと述べている。一つはコロナ、二つは地球温暖化、三つ目が核軍縮。これは三つとも世界的な大テーマなので、接触せざるを得ないけれども、大統領になる前から論文でこれを言ってしまっているのは、要するにエンゲージメント政策、「関与政策」を復活する証拠ではないですか。その先兵に、最も左の思想で、政治的キャリアの多いジョン・ケリー米大統領特使を持ってきた。これが正式な回答ではないかと思いますね。

櫻井　そのアメリカのバイデン政権の足元を、中国が見切っているのではないかと思うのです。一月二〇日にバイデン氏が大統領に就任して、演説をしました。その直後の二三日に中国が爆撃機、戦闘機、対潜哨戒機など一三機を台湾海峡に飛ばした。

これにアメリカのプライス報道官が、とんでもないことだと。アメリカは台湾の独立を維持するための台湾関係法をこれからも守っていく、アメリカは台湾を守ると述べたら、その翌日に中国は何をしたか。今度は一五機飛ばしたのですね。これはアメリカのバイデン政権に対して、お前たちが何を言っても、中国は言うことを聞かない

〈第三種郵便物認可〉　産経新聞　平成４年(1992年)　7月17日　金曜日　12版　【全面広告】　20

意見広告

日本政府が今秋実現しようとしている 天皇陛下ご訪中に反対します。

［その主な理由］

①天皇は、古来世俗政治を超えた精神的権威であり、現行憲法上も日本国および日本国民統合の象徴であって、国政に関する権能を有しないとされている。したがって、天皇の外国ご訪問は、両国間の外交努力によって真の友好の実が備わった国に対し、国際儀礼として相互の友好親善を喜び合う場合に限られるべきである。日中関係は、わが国が中国に対し多額の経済協力を行ない友好関係の確立に努めているにもかかわらず、中国は最近においても、わが国固有の領土である尖閣諸島の領有を宣言し、国連活動の中心である安保理の常任理事国でありながら自衛隊のＰＫＯ参加をくり返し批判するなど、両国間には真に安定した友好関係が築かれているとは言い難い。このような状況は、政府の外交努力によって打開すべきものであって、現段階で関係強化のためにご訪中をお願いすることは、たとえ国交正常化二十周年記念という名目であっても、天皇の政治的利用にほかならない。ましてご訪中によって両国間の過去の不幸な関係を清算したいという一部の意見は、天皇の政治的利用そのものである。現状でのご訪中は天皇の歴史的性格に背き、憲法にも違反する。

②中国は、冷戦後の今日も、地下核実験を行ない、軍備拡張を推進し、第三世界に大量の武器を輸出し、周辺諸国はもとより世界の脅威となりつつある。南沙諸島の領有権をめぐっては東南アジア諸国と対立し、国内の人権抑圧と少数民族圧迫に対する自由諸国の不信感は依然としてきびしく、天安門事件以後、西側諸国の元首で訪中した例はない。自由、人権と民主主義を尊重し、世界の平和に一定の責任を自覚すべきわが国が、現状の中国に対し、天皇陛下のご訪中によって西側諸国の中で突出的に、無原則に関係を深めようとすることは、自由諸国の眼から「人権軽視の国」「経済利益追求優先の国」という誤解をまねき、米国をはじめとする自由諸国および諸国民との友好関係を傷つけること必至である。とりわけ経済摩擦が深刻化しつつある日米関係にとって重大なマイナスとなる。

③周知のように、中国は目下、保守派と改革派の激しい権力闘争の渦中にある。鄧小平氏率いる改革派の優勢が伝えられるが、その決着はなお予断を許さない。中国の前途は、改革・開放路線と社会主義四原則の堅持とをめぐって、今後もさまざまの曲折が予想される。このような不安定な時期にご訪中を急がなければならない理由はどこにもない。

私たちは日本の栄光と国益の保持を願い、以上のような理由から、現在宮沢内閣が準備しつつある今秋の天皇陛下のご訪中に反対します。

会田雄次　相原良一　渥美堅持　天池清次　石堂淑朗　井尻千男　出雲井晶
栗栖弘臣　桑原寿二　郡順史　古賀勝次郎　小林節　小林宏晨　小堀桂一郎

伊原吉之助　今井久夫　入江隆則　植田剛彦　内田一臣　宇野精一　浦茂　漆山成美　大原康男　岡田一男　岡本幸治　小川和久　小山内高行　小田村四郎　小田村寅二郎　尾上正男　笠原正明　加瀬英明　片岡正巳　勝部真長　川上源太郎　河盛好蔵　木内信胤　気賀健三　北村謙一　清宮龍　草地貞吾　工藤伊豆

小森義峯　小山五郎　斎木千九郎　酒井忠夫　酒井信彦　佐藤和男　佐藤欣子　佐藤早苗　澤英武　清水公子　清水馨八郎　春風亭柳昇　白井永二　末次一郎　杉田一次　杉田幸三　杉森久英　須藤真志　関口徳高　関野英夫　瀬島龍三　曽村保信　高池勝彦　高橋史朗　竹内理三　竹花光範　竹本忠雄　伊達宗義

田中香浦　田中正明　谷沢永一　玉利斉　塚本幸一　柘植久慶　中川八洋　なかにし礼　中村粲　中村勝範　名越二荒之助　奈須田敬　丹羽春喜　橋本公明　秦野章　浜圭介　パンチョ加賀見　比嘉正子　樋口清之　福島信義　冨士信夫　藤島泰輔　細川隆一郎　堀江正夫　増岡鼎　松平永芳　黛敏郎　南丘喜八郎　宮崎正弘　武藤光朗　村尾次郎　村上薫　村松剛　森田大耕　森田康之助　山口康助　山田昭雲　横地光明　渡部絵美　渡辺華渓

［五十音順］

天皇陛下のご訪中に反対する国民委員会

［連絡先］
〒102 東京都千代田区麹町4－5　第8麹町ビル5階　高池法律事務所気付　電話03(3263)6041　FAX03(3263)6042

平成４（1992）年７月17日の産経新聞に掲載された意見広告

ぞと、我々は力で攻めていくのだと、我々の戦略はこれなのだということでしょう。アメリカの意向を中国は気にしていないのではないか。

田久保 私は、猫とネズミの関係に例えているのですよ。猫はアメリカで、猫のそばにネズミの好きなエサがあると。これを食べるのにネズミは五〇センチくらい寄っていって、まだ猫が動かないな、と。動かない、大丈夫だから今度はもう少し近づいていこう、と。そういうことなのです。

一回目が一三機、二回目が一五機で、今度一六機飛ばした時にガブっと来るかもしれないが、それだけの元気がバイデン大統領にあるかどうか。トランプ大統領だったら必ずやるだろうと思います。トランプ大統領は、性格などに問題のある人かどうかといったら、私はあると思う。でも、その好き嫌いと、トランプ大統領の政策がいいか悪いかの評価は、きちっと分けて考えないといけない。あいつは性格が悪いから、やることなすこと全部嫌だということになって、とんでもない混乱が起こっている。これがいまのアメリカではないかと思いますよ。

櫻井 トランプ大統領とバイデン大統領には非常に大きな差がありますね。例えば、バイデン大統領はロシアに厳しいと言われていましたが、期限切れ直前だった米ロ間の新START（新戦略兵器削減条約）を五年間延長することになりました。これは米ロの大陸間弾道ミサイルや長距離ミサイル、中距離ミサイルも含めて、核軍縮をしようということですが、トランプ大統領はこれを延長したくなかった。延長するとしても一年間の延長だと。その時に条件として、中国もここに引き込んで、中国にも核兵器を削減させなければいけない、というのがトランプ大統領の明確な目的でした。

しかし、バイデン大統領は、中国を抜きにして米ロだけが五年間、もう一回、削減条約を維持するとした。中国は大歓迎しているわけですね。

バイデン政権の中国政策は甘くなる

田久保　ＩＮＦ条約（中距離核戦力全廃条約、一九年に破棄）に中国は加盟していなかったから、いくらでも作りたい放題で中距離ミサイルを作れたわけです。トランプ大統領のような戦略的な考え方は、どうもバイデンさんは得意ではないらしい。

櫻井　核の問題にしても、原則を守らないで、当面収まりのいい、摩擦の少ないところに行く。そういう弱さというものが見て取れます。

田久保　性格の激しいトランプさんが出てきて、アメリカはてんやわんやの大騒ぎになった。バイデンさんはというと、彼とつき合っている人を私もいろいろと知っていますが、あんなに角のない人はいないよと、みんな口を揃えて言う。

櫻井　いい人だと、みんな言うそうですね。

田久保　ということは、失敗はないかもしれないけれども、何もやらない人ではないかと。いい人で、何もやらないような人を持ってこないと、収まりがつかなかったのではないかと私は思いますね。

バイデンさんに関して私は二点、あまり良くないなという印象があります。一つは第二次安倍政権で、安倍さんが靖国に行きました。その直後にアメリカ大使館から不思議な声明が出されたのです。署名なし、誰が出したのだか分からない声明が、記者団に配られた。

櫻井　二〇一三年一二月ですね。一二年一二月に二度目の安倍政権が誕生して、その一年後に安倍総理が靖国神社に行かれました。その時、国務省は靖国参拝に関する声明で「失望（disappointed）」と入れましたね。これを主導したのがバイデンさん。

田久保　そう。その時にバイデンさんは不愉快だったのですね。それを disappointed の表現で示したのでしょう。

それからもう一つ。習近平さんは副主席だった一二年に訪米して演説し「大国関係」という言葉を初めて使いました。さらにオバマ大統領と会談して「広大な太平洋は、中国と米国にとって十二分なスペースがある」などと述べたのです。米中の首脳がこの太平洋の平和と安定を話し合ったらいいというようなことを、副主席として米国に行った習近平さんとオバマ大統領は長時間にわたって真剣に話し合ったのですよ。

櫻井　その習近平副主席の訪米をアテンドしたのが当時のバイデン副大統領ですね。バイデン大統領は中国に対してすごく気になることを言っています。まだ副大統領だった二〇一一年に、まず彼が北京に行き、その時、習近平さんがすべてバイデン副大統領に付き添ってアテンドした。バイデンさんは非常に感激して、その次、習近平さんが副主席当時にアメリカに行った時には、バイデン一家は家族ぐるみで歓待した。そのバイデンさんは、外交関係はとどのつまり、個人と個人の関係だということを仰っているのです。

話を戻すと、習近平さんは副主席当時に米国でオバマ大統領と「太平洋二分論」を述べた。そのオバマ政権のＤＮＡを継いでいるのがバイデン政権でしょう。そのレベルで外交をされてはたまりません。

田久保　そう。オバマ政権ではスーザン・ライス大統領補佐官も一三年一一月に演説の中で「新型大国関係」に私は賛成だということを言っています。

櫻井　スーザン・ライスさんはバイデン政権で国内政策会議委員長として国内政策トップの座を占めています。

田久保　「大国関係」で頭越しに米中の首脳が何かすると、日本にとってプラスかマイナスかというと大変迷惑な話です。やるのであれば日本とも話し合って、日本も一枚加えてくれと。

櫻井　太平洋を二分して、東側はアメリカが取っていいよ、西側は中国が取るよというのが「新型大国関係」の軸ですね。バイデン政権はですから中国に対してはどう見ても甘い政策になりかねない。少なくとも過去の言動はその可能性を示唆しています。

経済、政治、軍事の三脚

櫻井　その中国が、いま非常に積極的に日本に働きかけている。台湾に対してはものすごくアグレッシブな攻撃態勢、構えを作っている。かつてないくらい緊張した状況の中に、私たちの国はあります。

菅首相には、例えば外交や安全保障について、もしくは日本国の在り方について、まだちょっとはっきりした目標が見えてこないというのが正直な感想です。日本の状況を田久保さんはどうご覧になっていますか。

田久保　私の持論なのですが、国はカメラではないけれども、三脚で立っているのです。経済と政治と軍事の三脚です。日本は経済と政治の柱はひとまずしっかりしているのですよ。問題は軍事で、軍事のところがフラフラ。自衛隊員というのは防衛省の職員なのですよ。

櫻井　身分がね。

田久保　ええ。例えば、諸外国には軍事法廷（軍法会議）があって、一般とは異なる軍の秩序を保つために、軍人などの罪を裁く。これを文民統制と称して民間人の下でやられたら、まともに防衛戦争なんかできるわけがないでしょう。

櫻井　しかし、日本には軍法会議がない。

田久保　そう。それから尖閣などで、日米安保第五条でアメリカが尖閣を守る。これをお願いばかりするのは、いったい何事かと思うのですよ。これは自民党だけではなくて、いまの野党が与党だった時も同じです。そうではなくて、自分の国は自分で守らなければならない。これは左だろうが、右だろうが、少なくとも愛国心を持った人間なら、そうでなければならない。それが十分できるか、できないかというのはまた別の話になりますが、自分の国は自分で守るのが基本。これをやった上で、足らざるところをアメリカに頼むのだということをきちっとさせないと、本当にアメリカの属国になってしまいます。

アメリカの属国になるということは、中国の属国でもあるということになってしまうのではないかと思います。独立自尊の精神が一番重要ですよ、ということを言いたい。

櫻井　バイデン政権にすがるかのように、大統領との対話で「第五条を言ってくれましたよ」と言っているのが今の日本。国務長官と対話したら「こちらも第五条を言ってくれましたよ」。「しかも向こうから言ってくれましたよ」というようなことを、盛んに官邸の方から発信する。またメディアもそのように聞く。

この日本そのものの在り方が非常におかしいわけです。

田久保　おかしいのです。

櫻井　中国が海警法を改正し（二〇二一年二月一日施行）、コーストガードを軍隊にしてしまった。彼らは尖閣は自分たちの領土だと言っているわけです。だから尖閣の海は中国の領海であり、排他的経済水域であって、今回、改定した法律によって、そこに入ってくる第三国の船や人間は逮捕できる、武力行使をしなさいと法改正をした。海からも空からもそうしなさいとなっているわけです。

実際に本当にそういう事態が起きかねない状況になっている時に、日本の例えば海上保安庁の体制はどうなっているか、海上自衛隊はどうなっているのか。我が国はいったいどういう問題意識を持っているのかと疑います。

田久保　他人事だと思っているのですよ。官房長官が、領海に中国船が入ってくるたびに、断固として抗議しますと何百回、何千回言ったか。言うだけではないかということですよ。それだけなのです。少しでも自衛隊が防衛出動で行くぞという気構えだけでも見せたか。

アメリカがやってくれるだろう、五条お願いします、です。しかし大事なのはアメリカではなく、自分はどうするのだということなのですよ。

日本第一主義でやれ

櫻井　今回の海警法の改正について、官房長官に対して質問が出た時に、加藤官房長官は「留意します」と言った。留意するのは当たり前の話で、それに対してどういう対策を講ずるのかと問われているにもかかわらず、これが日本国政府から出てこない。

自民党の外交部会や国防部会ではいろいろと議論されていても、これが自民党の政策として、政策要求として出てこない。野党はもちろん、全然駄目ですが、与党の自民党でさえも現状のようであれば、日本は大丈夫かなと心配になるのは当然です。

田久保さんは長年、外交安全保障、国際政治の戦略を見てこられた。どうお感じですか。

田久保　日本の自主性をバイデン大統領が認めてくれるような方向に行かないと、日米関係は悪くなりますよ。逆説的なことを言うと、トランプ大統領は一九年六月に開かれた大阪G20の前に、日米安保条約は不公平であると同じことを何度か言ったでしょう。FOXビジネスのインタビューでは、日本がやられた場合、アメリカは死に物狂いで守ってやるのに「米国が攻撃されても、日本にはわれわれを助ける必要がない。ソニー製のテレビで見るだけだ」と言ったわけです。

それは、トランプさんが商売人らしく、駐留費を値上げさせようとしている企みだとか何だとか言う人もいるけれども、そうではない。アメリカ第一主義ですよ。日本も第一主義でやれよ、とこういう意味だと思う。

トランプさんにこう言われたら、日本は「では、お言葉に甘えてやります」と言わなければならない。そうすれば向こうも「日米安保条約は大切だ」となっていく。初めから「助けくれ」「五条頼むよ」では、誰が助けるかということですよね。

櫻井 改めて感じるのは、日本がいま重大な危機に見舞われていて、そして唯一の同盟国であるアメリカが確実に変わった。中国は明確に覇権主義に走っている。その中で日本はいったい、どうやって生き残るのかという、最も深刻な問題を突き付けられています。その時に問われるのは、私たちは日本を自力で国民を守り、国土を守ることができる国にするのかどうか。そのためには何をしたらいいのか、ということです。

一番にすべきこととして明らかなのは憲法改正です。その次に、憲法に基づいた自衛隊法や海上保安庁法を整えることです。先ほど田久保さんがお話しされた政治と経済と軍事というこの三つの軸のうち、決定的に欠けている軍事を充実させることなしに、日本は生き残っていくことができない。それが現実です。

だからこのことに向かって、いままで尽くしてきた議論に基づいて、きちんとした行動を取らなくてはいけない。国家基本問題研究所もそうですが、お互いに言論人として、日本国の未来を憂うるものとして、憲法改正、日本国の力をつけていく政策を推進していかなくてはいけないと思います。

田久保　仰るとおりですね。一〇〇％賛成です。

（二〇二一年一月二九日放送）

本書は、櫻井よしこキャスターの番組『櫻ＬＩＶＥ　君の一歩が朝(あした)を変える！』（製作／言論テレビ）で放送された対談をもとに再構成、大幅に加筆したものです。

言論テレビ http://www.genron.tv

櫻井よしこ（ジャーナリスト）

ジャーナリスト。ベトナム生まれ。ハワイ州立大学歴史学部卒業。「クリスチャン・サイエンス・モニター」紙東京支局員、アジア新聞財団「ＤＥＰＴＨＮＥＷＳ」記者、同東京支局長、日本テレビ・ニュースキャスターを経て、フリー・ジャーナリスト。1995年に『エイズ犯罪 血友病患者の悲劇』（中央公論）で第26回大宅壮一ノンフィクション賞、1998年に『日本の危機』（新潮文庫）などで第46回菊池寛賞を受賞。2011年、日本再生へ向けた精力的な言論活動が高く評価され、第26回正論大賞受賞。2007年「国家基本問題研究所」を設立し理事長、2011年、民間憲法臨調代表に就任。2012年、インターネット動画番組サイト「言論テレビ」を立ち上げ、キャスターを務める。

著書に、『親中派の嘘』（産経新聞出版）、『「正義」の嘘　戦後日本の真実はなぜ歪められたか』『「民意」の嘘　日本人は真実を知らされているか』『朝日リスク　暴走する報道権力が民主主義を壊す』、『赤い韓国』（共著、産経新聞出版）、『愛国者たちへ』（「論戦」シリーズ、ダイヤモンド社）、『何があっても大丈夫』『言語道断』（新潮社）、『迷わない。』（文春新書）など多数。

赤い日本

令和3年5月8日　第1刷発行
令和3年6月6日　第4刷発行

著　　者　櫻井よしこ
発 行 者　皆川豪志
発 行 所　株式会社産経新聞出版
〒100-8077 東京都千代田区大手町1-7-2
産経新聞社8階
電話　03-3242-9930　FAX　03-3243-0573
発　　売　日本工業新聞社　電話　03-3243-0571（書籍営業）
印刷・製本　株式会社シナノ

ISBN 978-4-8191-1398-4　C0095